**Préparation aux Épreuves Classantes Na**

**50 DOSSIERS**

TRANSVERSAUX
100 % TYPÉS ECN
CORRIGÉS DÉTAILLÉS

Collection dirigée
par Baptiste Coustet

# Dermatologie et vénéréologie

## 2e édition

Do-Pham Giao

de boeck 🌱 estem

**Éditions DE BOECK-ESTEM**
**DE BOECK DIFFUSION**

2 ter, rue des Chantiers - 75005 Paris
Tél. : 01 72 36 41 60 – Fax : 01 72 36 41 70
E-mail : info@estem.fr
www.estem.fr

**L'auteur**

Giao Do-Pham, IHP, promotion 2006, dermatologie, Paris.

Nous remercions le Service de Dermatologie du Professeur Chosidow, Hôpital Henri-Mondor (APHP), Créteil, pour l'iconographie reproduite dans cet ouvrage.

ISBN : 978-2-84371- 565- 5

Cancérologie et hématologie

Cardiologie

Dossiers transversaux

Endocrinologie

Gynécologie — Obstétrique

Handicap — Vieillissement — Douleur

Hépatologie — Gastro-entérologie

Maladies infectieuses

Néphrologie

Neurologie

Ophtalmologie

ORL — Stomatologie — Maxillo-facial

Orthopédie

Pédiatrie

Pneumologie

Psychiatrie et pédopsychiatrie

Rhumatologie

Santé publique — Médecine du travail, légale, sociale — Éthique

Urgences — Réanimation

Urologie

# Préface

Chers étudiants qui préparez les ECN,

Voici la nouvelle collection des **50 dossiers**, toujours en mouvement pour s'adapter aux évolutions des cas cliniques sur lesquels vous serez évalués.

Après quelques années de recul, certaines priorités peuvent être dégagées de ce que l'on attend de vous. Ainsi, coller à la réalité, savoir ce qui est urgent et/ou grave, connaître la conduite à tenir, **hiérarchiser** vos diagnostics et traitements sont des points essentiels. De même, il est impératif, depuis la réforme des ECN, de comprendre les enjeux d'une maladie, de raisonner logiquement et de percevoir le malade dans sa globalité.

Cette collection vise à vous préparer à ces exigences. Les sujets sont bien souvent simples et la sélection se fait en majorité sur des erreurs d' « inattention » ou des oublis ainsi que sur votre rapidité. La « **premières lectures et réflexes** », la cotation détaillée et les précieux « **conseils du conférencier** » vous aideront à distinguer les priorités, à systématiser votre raisonnement et à répondre rapidement sans rien oublier. La mise en évidence des **mots-clés** vous permettra quant à elle de faire le tri dans la somme de connaissances requises.

Aussi, les **références aux conférences de consensus** et aux recommandations sont précisées pour vous permettre de retrouver les informations consensuelles utilisées pour les corrections.

Les « 50 dossiers » s'adaptent à votre évolution : ils présentent des dossiers pédagogiques, classiques en DCEM 2 puis progressivement étoffés et transversaux. Elle évolue également en privilégiant **les sujets « tombables »**. Les cas les plus typiquement tombables en l'état aux ECN ont été insérés en fin d'ouvrage.

Ne négligez pas la **sémiologie**. C'est une manière indirecte d'estimer votre capacité à appréhender de façon « pratique » le malade. L'externat est dense, long et vous progresserez sans cesse. Surtout, entraîner-vous afin de gagner en rapidité et de développer des automatismes.

Et soyez ouverts à toute connaissance, peu sont superflues. L'aphorisme « on ne trouve que ce que l'on cherche et on ne cherche que ce que l'on connaît » se rappellera toujours à vous.

Soyez constant dans l'effort et bonne chance !

Le directeur de collection
Baptiste Coustet

# Liste des abréviations

| | | |
|---|---|---|
| **AAN** | : anticorps anti-nucléaire | |
| **AC** | : anticorps | |
| **AINS** | : anti-inflammatoire non stéroïdien | |
| **ALAT** | : alanine aminotransférase | |
| **ASAT** | : aspartate aminotransférase | |
| **ATB** | : antibiotiques | |
| **ATCD** | : antécédents | |
| **AV** | : acuité visuelle | |
| **BCG** | : bacille de Calmette et Guérin | |
| **BU** | : bandelette urinaire | |
| **CBP** | : cirrhose biliaire primitive | |
| **CE** | : corps étranger | |
| **CMV** | : cytomégalovirus | |
| **CPK** | : créatine phosphokinase | |
| **CRP** | : *C-Reactive protein* | |
| **CV** | : champ visuel | |
| **DA** | : dermatite atopique | |
| **EA** | : *early antigen* | |
| **EBnA** | : *Ebstein-Barr nuclear antigen* | |
| **EBV** | : *Epstein-Barr virus* | |
| **ECBU** | : examen cytobactériologique des urines | |
| **ECG** | : électrocardiogramme | |
| **EMG** | : électromyogramme | |
| **FC** | : fréquence cardiaque | |
| **FO** | : fond d'oeil | |
| **FSH** | : hormone follicostimulante | |
| **FTA** | : *fluorescent treponemal antibody* | |
| **GB** | : globules blancs | |
| **GDS** | : gaz du sang (gazométrie artérielle) | |
| **GGT** | : gamma glutamyl transférase | |
| **HBPM** | : héparine de bas poids moléculaire | |
| **HBV** | : *hepatitis B virus* | |
| **HCV** | : *hepatitis C virus* | |
| **HHV** | : *human herpes virus* | |
| **HSV** | : *herpes simplex virus* | |
| **HTA** | : hypertension artérielle | |
| **IF** | : immunofluorescence | |
| **IM** | : intramusculaire | |
| **IRM** | : imagerie par résonance magnétique | |

| | |
|---|---|
| **IST** | : infection sexuellement transmissible |
| **IV** | : intraveineux(se) |
| **IVSE** | : intraveineux à la seringue électrique |
| **LH** | : *luteinizing hormone* |
| **MNIni** | : mononucléose infectieuse |
| **MST** | : maladie sexuellement transmissible |
| **NC** | : non coté |
| **NET** | : nécrolyse épidermique toxique |
| **NFS** | : numération formule sanguine |
| **PA** | : pression artérielle |
| **PAL** | : phosphatases alcalines |
| **PASI** | : *Psoriasis Area and Severity Index* |
| **PB** | : pemphigoïde bulleuse |
| **PBH** | : ponction-biopsie hépatique |
| **PCR** | : *polymerase chain reaction* |
| **PLA2** | : phospholipase A2 |
| **PMZ** | : pas mis = 0 |
| **PNE** | : polynucléaires éosinophiles |
| **PNN** | : polynucléaires neutrophiles |
| **PO** | : *per os* |
| **RAI** | : recherche agglutinines irrégulières |
| **RP** | : radiographie de poumons |
| **RX** | : radiographie |
| **SDMR** | : staphylocoque doré résistant à la méticilline |
| **SEP** | : sclérose en plaques |
| **SFD** | : société française de dermatologie |
| **SOPK** | : syndrome des ovaires polykystiques |
| **SSM** | : *superficial spreading melanoma* |
| **TCK** | : temps de céphaline kaolin |
| **TP** | : taux de prothrombine |
| **TPHA** | : *treponema pallidum hemagglutination assay* |
| **TSH** | : *thyreostimulin hormone* |
| **VDRL** | : *veneral disease research laboratory* |
| **VGM** | : volume globulaire moyen |
| **VIH** | : virus de l'immunodéficience humaine |
| **VS** | : vitesse de sédimentation |
| **VZV** | : varicelle zona virus |

# Sommaire

# Sommaire par items

# Ça me fait une belle jambe !

## Énoncé

Une patiente de 78 ans consulte aux urgences pour fièvre. Elle présente comme antécédents une HTA traitée par nicardipine et un diabète traité par metformine. Elle est veuve, a trois enfants dont deux qui ne vivent pas dans la même région qu'elle. Elle a un chien dans son appartement parisien, au 3e étage sans ascenseur. Son médecin traitant passe la voir à son domicile tous les 15 jours. La prise des constantes retrouve : une T° à 38,5 °C, une PA à 148/79 mm Hg, un pouls à 98/min. Elle se plaint d'une asthénie, de frissons et de sa jambe gauche, rouge et douloureuse. Elle mesure 1 m 65 pour 65 kg.

Vous la voyez dans le box d'examen.

## Questions

**1.** Quel diagnostic évoquez-vous en 1re intention ?

**2.** Que recherchez vous lors de votre examen clinique ?

Vous ne trouvez pas de signes de gravité mais la patiente est très asthénique et n'arrive pas à marcher seule. Elle vit seule à domicile.

**3.** Quelle est votre prise en charge initiale ?

**4.** Comment prévenir les complications de décubitus cutanées chez cette patiente ?

**5.** Quelles sont les complications potentielles des escarres chez cette patiente ?

Le lendemain matin, vous remarquez que la patiente est beaucoup moins algique. Cependant, on vous appelle l'après-midi car la patiente est difficilement réveillable et polypnéique. Elle ne sent plus aucune douleur du membre inférieur. Les constantes retrouvent : T° = 39,5 °C, PA = 85/42 mm Hg, pouls = 112/min.

À l'examen, vous retrouvez un membre inférieur gauche blanc et froid.

**6.** Quel est votre diagnostic ?

**7.** Quelle est votre prise en charge thérapeutique en urgence ?

# Première lecture et réflexes

- Infectieux : hémocultures, portes d'entrées.
- Dans l'examen, on peut organiser la réponse ainsi : diagnostic positif, différentiel, étiologique, complications, terrain.
- La prise en charge comporte examens et traitement si rien n'est précisé.
- Érysipèle :
  - recherche et traitement de la porte entrée ;
  - SAT-VAT en cas de plaie.
- Traitements : arrêt ?
- Poids et taille : calcul de l'IMC = $P/T^2$.

## Réponses

**1. Quel diagnostic évoquez-vous en Iʳᵉ intention ?** *(10)*

■ Dermohypodermite infectieuse bactérienne du membre inférieur gauche ......................................... **10**

**2. Que recherchez vous lors de votre examen clinique ?** *(20)*

■ Interrogatoire :
- ATCD, traitements, allergies ATB ................................................................................................ *2*
- ancienneté et évolutivité des symptômes ...................................................................................... *2*
- conditions de vie .......................................................................................................................... *1*

■ Diagnostic positif :
- **membre inflammatoire** ......................................................................................................... *3*
- lymphangite .................................................................................................................................. *2*
- ADP inguinales ............................................................................................................................. *2*

■ Diagnostic étiologique : **porte entrée** (plaie, intertrigo) **(PMZ)** .......................................... *3*

■ Complications : signes de choc .................................................................................................... *3*

■ Diagnostic différentiel : signes de phlébite éventuels .................................................................. *2*

**3. Quelle est votre prise en charge initiale ?** *(20)*

■ Examens :
- **hémocultures (PMZ)** ............................................................................................................. *3*
- BU, ECBU ..................................................................................................................................... *1*
- NFS, ionogramme-CRP ................................................................................................................. *1*

■ Hospitalisation en médecine ....................................................................................................... *NC*

■ Traitement étiologique :
- **ATB IV : pénicilline G** en IV .................................................................................................. *5*
- **traitement de la porte d'entrée (PMZ)** ............................................................................. *3*
- rappel anti-tétanique si besoin ..................................................................................................... *NC*

■ Traitement symptomatique antalgique ......................................................................................... *2*

■ Arrêt de la metformine et relais par insuline **(PMZ)** ............................................................... *1*

■ Contention ................................................................................................................................... *2*

■ Prévention des complications de décubitus ................................................................................... *1*

■ Surveillance ................................................................................................................................. *1*

## 4. Comment prévenir les complications de décubitus cutanées chez cette patiente ? *(10)*

- ■ Lever/mobilisation/changement de position toutes les 4 heures ............................................................ *2*
- ■ Éviter l'appui prolongé ....................................................................................................................... *1*
- ■ Matelas anti-escarres ......................................................................................................................... *1*
- ■ Prévenir la macération par *nursing* ..................................................................................................... *NC*
- ■ Anticoagulation préventive si alitement prolongé ................................................................................ *2*
- ■ Régime adapté : diabétique avec apports nutritionnels et hydriques suffisants ..................................... *2*
- ■ Kinésithérapie ................................................................................................................................... *1*
- ■ Éducation de l'entourage pour l'auto-surveillance ............................................................................... *NC*
- ■ Surveillance ....................................................................................................................................... *1*

## 5. Quelles sont les complications potentielles des escarres chez cette patiente ? *(14)*

- ■ Complications infectieuses :
- – abcès profonds ................................................................................................................................. *2*
- – osto-arthrites .................................................................................................................................... *2*
- – septicémie ....................................................................................................................................... *2*
- ■ Complications locales :
- – extension .......................................................................................................................................... *2*
- – retard de cicatrisation ....................................................................................................................... *2*
- – transformation maligne si chronique .................................................................................................. *2*
- – fistulisation ....................................................................................................................................... *2*

## 6. Quel est votre diagnostic ? *(10)*

- ■ **Fasciite nécrosante** compliquée de choc septique. ............................................................................ *10*

**Remarque :** *la fasciite ne se manifeste pas seulement pas des lésions nécrotiques. Le membre livide, froid et totalement indolore doit attirer l'attention.*

## 7. Quelle est votre prise en charge thérapeutique en urgence ? *(16)*

- ■ **Urgence médicale et chirurgicale (PMZ)** ......................................................................................... *2*
- ■ Appel du réanimateur et du chirurgien ............................................................................................... *1*
- ■ Prise en charge médicale de réanimation :
- – remplissage par sérum physiologique ................................................................................................. *1*
- – oxygénothérapie ............................................................................................................................... *1*
- – **ATB large spectre** IV ..................................................................................................................... *5*
- ■ Prise en charge chirurgicale :
- – **excision des tissus nécrosés** au bloc opératoire avec envoi des prélèvements en bactériologie ............... *5*
- ■ Surveillance rapprochée ..................................................................................................................... *1*

**Remarque :** *penser à ce qui est fait en pratique (appel des réanimateurs et des chirurgiens). Vous n'avez pas à détailler la prise en charge spécialisée (le type d'oxygénothérapie, le geste chirurgical).*

## Conseils du conférencier

➜ *Dossier monothématique assez facile, questions de cours.*

➜ *Dossier classique et tombable.*

### >>> Références

- Conférence de consensus. *Érysipèle et fasciite nécrosante : prise en charge.* SPILF. Janvier 2000.
- Conférence de consensus. *Prévention et traitement des escarres de l'adulte et du sujet âgé.* PERSE, SFFPC et AP-HP. Novembre 2001.

### >>> Items abordés dans ce dossier

**N° 50** – Complications de l'immobilité et du décubitus. Prévention et prise en charge.

**N° 200** – État de choc.

**N° 204** – Grosse jambe rouge aiguë.

# Tu m'files des boutons !

## Énoncé

Vous êtes de garde aux urgences et recevez une patiente de 23 ans pour une éruption cutanée.

Il s'agit d'une patiente qui se plaint d'une éruption cutanée depuis quelques heures, prurigineuse, du tronc et de la racine des membres. Elle a comme antécédent une infection urinaire basse il y a 2 ans, ne prend aucun traitement en dehors d'une contraception œstroprogestative depuis 6 ans.

Elle est étudiante en lettres, et célibataire sans enfant.

Vous demandez à votre externe d'examiner la patiente. Il revient vous voir avec ses conclusions : il s'agit d'une poussée d'urticaire superficielle sans signes de gravité.

## Questions

**1.** Quels arguments ont permis à l'externe de poser ce diagnostic ?

**2.** Quel est le mécanisme physiopathologique de cette urticaire ?

**3.** Quel traitement instituez-vous ?

**4.** L'épisode cède rapidement mais elle consulte au bout de deux mois, car « les crises reviennent et persistent, et ce, tous les jours ». Quel est votre diagnostic et sur quels arguments ?

**5.** Elle s'inquiète car elle se demande à quoi elle est allergique et voudrait un bilan allergologique. Que lui répondez-vous ? Quel traitement mettez-vous en place ?

**6.** Elle vous demande les causes possibles de cette maladie. Que lui dites-vous ?

Vous souhaitez la suivre en consultation, mais la patiente ne revient pas vous voir.

Un jour, on vous appelle aux urgences car la patiente est revenue. Elle présente de nouveau une urticaire superficielle, mais en l'examinant vous constatez également un œdème labial et palpébral non prurigineux sans atteinte superficielle en regard. Votre collègue vous mentionne également des arthrites des poignets et des chevilles, une protéinurie à trois croix et une thrombopénie à 90 000/mm$^3$.

Vous l'interrogez et elle vous affirme que la symptomatologie a changé ces dernières semaines, avec des poussées fixes. Les lésions étant non prurigineuses, elle n'avait pas consulté.

**7.** Quel diagnostic suspectez-vous ?

**8.** Quels éléments biologiques vous permettraient de confirmer le diagnostic principal ?

# Première lecture et réflexes

- Femme en âge de procréer : βHCG, attention aux rayons X sur l'abdomen.

- Urticaire superficielle aiguë : diagnostic clinique.

- Urticaire chronique :
  – diagnostic sur anamnèse ;
  – pas de bilan si pas d'orientation.

- Urticaire atypique : bilan à la recherche d'une cause secondaire.

## Réponses

**I. Quels arguments ont permis à l'externe de poser ce diagnostic ?** *(12)*

■ Éléments de l'interrogatoire :
- fugace ......................................................................................................................... *2*
- mobile ......................................................................................................................... *2*
- prurit ........................................................................................................................... *2*

■ Éléments de l'examen physique :
- **éruption papulo œdémateuse** .............................................................................. *2*
- à bords nets ................................................................................................................. *1*
- en plaques ................................................................................................................... *2*
- halo de vasoconstriction ............................................................................................ *1*

**2. Quel est le mécanisme physiopathologique de cette urticaire ?** *(12)*

■ Sensibilisation ............................................................................................................... *1*

■ Puis fixation d'IgE ou d'antigènes sur les mastocytes ............................................ *1*

■ Dégranulation mastocytes .......................................................................................... *5*

■ Libération : histamine/triptase ................................................................................... *5*

**3. Quel traitement instituez-vous ?** *(10)*

■ Traitement ambulatoire ............................................................................................... *NC*

■ Traitement par **anti-histaminiques Anti H1** *per os* : cetirizine pendant 7 jours .......... *5*

■ Recherche d'un facteur déclenchant et éviction ..................................................... *5*

**Remarque :** *0 à la question si corticoïdes.*

**4. L'épisode cède rapidement mais elle consulte au bout de deux mois, car « les crises reviennent et persistent, et ce, tous les jours ». Quel est votre diagnostic et sur quels arguments ?** *(10)*

■ Urticaire chronique ..................................................................................................... *5*

■ Urticaire superficielle **quotidienne** ........................................................................ *2*

■ Depuis **plus de 6 semaines** .................................................................................... *3*

**5. Elle s'inquiète car elle se demande à quoi elle est allergique et voudrait un bilan allergologique. Que lui répondez-vous ? Quel traitement mettez-vous en place ? (19)**

■ Étiologie « allergique » extrêmement rare .................................................................................................. 3

■ Présence de facteurs aggravants (aliments riches en histamine, médicaments histaminolibérateurs, facteurs physiques)

■ **Pas de bilan en 1re intention** si pas de point d'appel ................................................................ 5

■ Traitement ambulatoire :
– traitement anti H1 au long cours ...................................................................................................... 3
– association possible en cas d'échec .................................................................................................. 2

■ Mesures associées :
– éviter les AINS .......................................................................................................................................... 2
– éviter les aliments riches en histamine ........................................................................................... 2
– éviction facteurs physiques si retrouvés ......................................................................................... 2

**6. Elle vous demande les causes possibles de cette maladie. Que lui dites-vous ? (10)**

■ Facteurs physiques : ................................................................................................................................ 3
– dermographisme
– pression
– chaleur, froid, eau
– cholinergique

■ Parasitoses ................................................................................................................................................ 2

■ Hypothyroïdie ......................................................................................................................................... 2

■ Contact ...................................................................................................................................................... 1

■ Idiopathique dans la majorité des cas ........................................................................................... 2

**7. Quel diagnostic suspectez-vous ? (15)**

■ **Syndrome de Mac Duffie** ........................................................................................................... 10

■ Sur lupus érythémateux systémique probable .......................................................................... 5

**8. Quels éléments biologiques vous permettraient de confirmer le diagnostic principal ? (12)**

■ Syndrome de Mac Duffie :
– abaissement du taux de C1q ............................................................................................................ 4
– présence d'anticorps anti-C1q ........................................................................................................ 4
– consommation de la voie classique du complément ................................................................ 2
– baisse du taux de C1 inhibiteur souvent associée .................................................................... 2

## Conseils du conférencier

➜ *Première partie classique : urticaires superficielle et chronique.*

➜ *Conférence de consensus pour le bilan à prescrire devant une urticaire chronique.*

➜ *Syndrome de MacDuffie moins classique et moins susceptible d'être posé, dernières questions de cas.*

## >>> Référence

Conférence de consensus. *Prise en charge de l'urticaire chronique.* ANAES. Janvier 2003.

## >>> Items abordés dans ce dossier

**N° 114** – Allergies cutanéo-muqueuses chez l'enfant et l'adulte. Urticaires, dermatites atopique et de contact.

**N° 117** – Lupus érythémateux disséminé. SAPL.

## Énoncé

Vous suivez une patiente de 38 ans pour un psoriasis en plaques qui évolue depuis 5 ans.

Elle est actuellement sous dermocorticoïdes et consulte car elle n'est pas soulagée. Elle avait reçu des séances de photothérapie au début de la maladie, sans aucune amélioration.

À l'examen, vous constatez des lésions érythématosquameuses et kératosiques en grandes plaques touchant 50 % de la surface cutanée et le cuir chevelu. Elle est aide-soignante et elle avoue qu'avec son travail à horaires variables, elle n'arrive pas à mettre les crèmes régulièrement. Ces lésions sont parfois prurigineuses. Elle commence à être découragée.

Elle ne prend pas de traitement en dehors des traitements locaux prescrits, elle ne fume pas, consomme de l'alcool le soir (un apéritif et un verre de vin). Elle est mariée et a deux enfants en bonne santé.

## Questions

1. Vous décidez d'introduire un traitement par méthotrexate. Sur quels arguments ?
2. Quel bilan préthérapeutique prescrivez-vous ?
3. Comment prescrivez vous le méthotrexate ?
4. Le traitement est efficace. Mais au bout de 4 ans, elle constate une aggravation nette des lésions, alors que l'observance est bonne. Elle se plaint par ailleurs d'arthralgies des avant-pieds et des mains. Ces arthralgies sont récentes et invalidantes. Leur horaire est inflammatoire. Que suspectez-vous ?
5. Vous décidez cette fois-ci d'introduire une biothérapie. Quelles sont les biothérapies utilisées pour le psoriasis ?
6. Quel bilan prescrivez-vous ?

Vous décidez de la revoir une semaine après pour lui expliquer ces résultats. La veille du rendez-vous, elle vous appelle car elle ne va pas bien. Elle a arrêté brutalement les crèmes depuis le dernier rendez-vous et depuis 24 h elle est fébrile et se sent très fatiguée.

Vous lui demandez de venir et à son arrivée, vous constatez la recrudescence de plaques érythématosquameuses sur le tronc et les membres, parsemées de nombreuses petites pustules en tête d'épingle, qui prédominent aux creux axillaires et poplités. Elle est fébrile à 38,5 °C.

7. Que craignez-vous ?
8. Quelles sont les complications aiguës de cette affection ?

## Première lecture et réflexes

- Traitements systémiques utilisés dans le psoriasis, femme en âge de procréer : béta HCG chez les femmes en âge de procréer.

- Prise en charge psychologique.

- Photothérapie : lésions cutanées précancéreuses, fonction rénale, bilan hépatique, consultation ophtalmologique.

- Contrôle des facteurs déclenchants.

- Méthotrexate = supplémentation en folates et contraception, éviter les AINS.

- Alcool précisé : calcul de dose en UAI, limites de l'OMS à rappeler en objectif.

## Réponses

### 1. Vous décidez d'introduire un traitement par méthotrexate. Sur quels arguments ? *(10)*

- Échec traitement local ......................................................................................................... 5
- Observance difficile ............................................................................................................. 3
- Extension ............................................................................................................................ 2

### 2. Quel bilan préthérapeutique prescrivez-vous ? *(13)*

- NFS plaquettes ................................................................................................................... 3
- Bilan hépatique, créatininémie, bandelette urinaire .......................................................... 3
- Radiographie thoracique de face ........................................................................................ 3
- Béta HCG ........................................................................................................................... 2
- Sérologies hépatites B et C, HIV avec accord de la patiente ............................................. 2

### 3. Comment prescrivez-vous le méthotrexate ? *(12)*

- Traitement ambulatoire ..................................................................................................... *NC*
- Forme *per os* ou injectable en une prise par semaine ........................................................ 3
- **Adjonction de folates** ....................................................................................................... 2
- Éducation :
- **pas d'alcool (PMZ)** ........................................................................................................ 2
- contraception efficace ..................................................................................................... 1
- contrôle des facteurs déclenchants potentiels de poussée ............................................. 1
- prise en charge psychologique ....................................................................................... 1
- Associé à émollients voire kératolytiques .......................................................................... 1
- Surveillance clinique (PASI) et NFS/BH ............................................................................. 1

### 4. Le traitement est efficace. Mais au bout de 4 ans, elle constate une aggravation nette des lésions, alors que l'observance est bonne. Elle se plaint par ailleurs d'arthralgies des avant-pieds et des mains. Ces arthralgies sont récentes et invalidantes. Leur horaire est inflammatoire. Que suspectez-vous ? *(10)*

- Psoriasis cutané et articulaire en poussée ......................................................................... 10

**5. Vous décidez cette fois-ci d'introduire une biothérapie. Quelles sont les biothérapies utilisées pour le psoriasis ?** *(22)*

■ Anti TNF alpha : ................................................................................................................................ *5*
– récepteurs solubles du TNF : etanercept ........................................................................................ *4*
– anticorps monoclonal dirigé contre le TNF : infliximab, adalimumab .......................................... *4*
– IV ou SC .......................................................................................................................................... *1*
■ Anticorps monoclonal anti IL12 et IL23 : ustekinumab ................................................................ *5*
■ Indiquées pour le psoriasis modéré à sévère, après échec de deux traitements systémiques ...... *3*

**6. Quel bilan prescrivez vous ?** *(10)*

■ Pour confirmer le diagnostic : radiographies pieds face et ¾, mains .............................................. *2*
■ Préthérapeutique :
– radiographie thorax ........................................................................................................................ *2*
– NFS, bilan hépatique, créatininémie .............................................................................................. *2*
– IDR à la tuberculine ...................................................................................................................... *2*
– béta HCG ...................................................................................................................................... *2*

**7. Que craignez-vous ?** *(15)*

■ Psoriasis pustuleux généralisé de Zumbusch .............................................................................. *10*
■ Favorisé par l'arrêt brutal de la corticothérapie locale .................................................................. *5*

**8. Quelles sont les complications aiguës de cette affection ?** *(8)*

■ Troubles hydro électrolytiques ...................................................................................................... *2*
■ Déshydratation ................................................................................................................................ *2*
■ Surinfection .................................................................................................................................... *2*
■ Décès .............................................................................................................................................. *2*

 **Conseils du conférencier**

➜ *Parmi les traitements systémiques :*
   – *rétinoïdes (acitrétine) : tératogène ;*
   – *méthotrexate : tératogène, surveillance hépatique et rénale ;*
   – *ciclosporine : néphrotoxicité ;*
   – *anti TNF alpha ;*
   – *anti IL12.*
➜ *Les anti CD11a ont été abandonnés en raison du risque de LEMP.*
➜ *Les biothérapies sont prescrites en cas d'échec ou contre-indication à deux traitements systémiques (ciclosporine, méthotrexate, PUVAthérapie).*

**>>> Item abordé dans ce dossier**

**N° 123** – Psoriasis.

# Le bonheur est dans le pré

## Énoncé

Une femme de 60 ans vient consulter pour un suivi dermatologique. Elle a récemment déménagé, elle vivait à la campagne, et vient s'installer à Paris. Elle espère pouvoir continuer à faire un peu de jardinage et retourner régulièrement dans sa campagne natale. Elle avait un dermatologue qui la suivait mais avoue ne pas être retournée le voir depuis trois ans.

Elle est suivie par son médecin traitant pour une hypertension artérielle traitée par diltiazem et porte une prothèse totale de hanche droite après une chute il y a trois ans.

Elle vous montre une lésion malaire droite brune (*voir photo*) d'environ 1 cm de diamètre. Cela fait 5 ans qu'elle a remarqué la présence de cette lésion, qui évolue lentement.

Elle présente également des lésions du dos des mains kératosiques irrégulières.

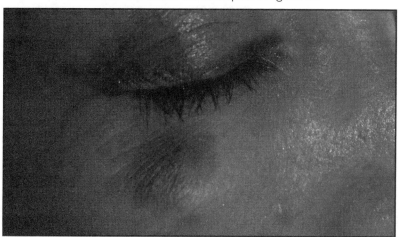

**Voir version en couleurs en fin d'ouvrage.**

## ? Questions

1. Comment décririez-vous la lésion du visage ?

2. Quel est le diagnostic le plus probable pour la lésion du visage ?

3. Quelle prise en charge thérapeutique préconisez-vous ?

4. Quel diagnostic suspectez-vous pour les lésions du dos des mains ?

5. Elle vous montre également des lésions brunes du dos visibles depuis de nombreuses années, et qui se présentent comme des lésions régulières ovalaires, planes ou légèrement verruqueuses, posées sur la peau. Quel est le diagnostic le plus probable ?

6. Vous lui donnez les papiers de rendez-vous mais elle ne revient pas vous voir, malgré vos appels. Finalement trois ans plus tard, elle vous consulte à nouveau car elle s'est aperçue que la lésion du visage s'était modifiée. Elle a remarqué qu'un nodule noir est apparu sur la tache. Que redoutez-vous ?

7. Comment allez-vous compléter votre examen physique ?

8. Vous organisez le traitement de votre patiente. Quelles recommandations lui donnez-vous à la sortie de l'hôpital ?

9. Elle doit partir en Corse l'été prochain et vous demande quels sont les risques cancérologiques cutanés dus au soleil. Que lui répondez-vous et quelles sont les recommandations d'usage ?

## Première lecture et réflexes

- Campagne : exposition solaire, exposition aux allergènes, infections.

- Lésion cutanée suspecte = photographies et examen de tout le tégument.

- Traitement et dermatologie : toxidermie ?

- PTH jeune : ostéoporose ?

## Réponses

**1. Comment décririez-vous la lésion du visage ?** *(10)*

- Lésion unique malaire droite ........................................................................................................ *2*
- Maculeuse ................................................................................................................................. *2*
- Brune ........................................................................................................................................ *1*
- Contours irréguliers .................................................................................................................. *2*
- De couleur hétérogène .............................................................................................................. *2*
- Sans nodule ni ulcération .......................................................................................................... *1*

**2. Quel est le diagnostic le plus probable pour la lésion du visage ?** *(10)*

- **Mélanose de Dubreuilh** ....................................................................................................... *10*
- Malaire droite .......................................................................................................................... *NC*

**3. Quelle prise en charge thérapeutique préconisez-vous ?** *(10)*

- **Exérèse chirurgicale** de la lésion en totalité (avec réparation de la perte de substance cutanée) ................. *5*
- Extemporané puis définitif ......................................................................................................... *1*
- Reprise avec marges en fonction du Breslow (1 cm si Breslow confirmé) ...................................... *2*
- **Surveillance** à vie ................................................................................................................. *2*

**4. Quel diagnostic suspectez-vous pour les lésions du dos des mains ?** *(10)*

- Diagnostic probable : kératoses actiniques des mains .................................................................. *10*

**5. Elle vous montre également des lésions brunes du dos visibles depuis de nombreuses années, et qui se présentent comme des lésions régulières ovalaires, planes ou légèrement verruqueuses, posées sur la peau. Quel est le diagnostic le plus probable ?** *(10)*

- Kératoses séborrhéiques ou verrues séborrhéiques du dos ......................................................... *10*

**6. Vous lui donnez les papiers de rendez-vous mais elle ne revient pas vous voir, malgré vos appels. Finalement trois ans plus tard, elle vous consulte à nouveau car elle s'est aperçue que la lésion du visage s'était modifiée. Elle a remarqué qu'un nodule noir est apparu sur la tache. Que redoutez-vous ?** *(10)*

- Transformation en mélanome infiltrant nodulaire malaire droit ................................................... *10*

**7. Comment allez-vous compléter votre examen physique ?** *(15)*

■ État général : poids et taille ..................................................................................................... *1*

■ Examen de la lésion : ................................................................................................................ *3*
– taille, saignement, ulcération, nodule (sur lésion et en périphérie), avec photographies
– examen au dermatoscope

■ Examen cutané complet : ......................................................................................................... *3*
– dont muqueuses et phanères avec photographies des lésions cutanées
– recherche d'autres localisations

■ Aires ganglionnaires .................................................................................................................. *2*

■ Examen neurologique : recherche de signes focaux ................................................................. *2*

■ Examen pulmonaire .................................................................................................................... *2*

■ Palpation abdominale ................................................................................................................. *2*

*Remarque :* ne pas oublier de compléter l'examen de la lésion cutanée suspecte.

**8. Vous organisez le traitement de votre patiente. Quelles recommandations lui donnez-vous à la sortie de l'hôpital ?** *(12)*

■ **Surveillance à vie (PMZ)** ........................................................................................................ *3*

■ **Protection solaire (PMZ)** ....................................................................................................... *5*

■ Auto-surveillance ....................................................................................................................... *2*

■ Consultation au moindre changement de lésion ...................................................................... *1*

■ Dépistage famille ....................................................................................................................... *1*

**9. Elle doit partir en Corse l'été prochain et vous demande quels sont les risques cancérologiques cutanés dus au soleil. Que lui répondez-vous et quelles sont les recommandations d'usage ?** *(13)*

■ Risques cancérologiques :
– carcinome épidermoïde ............................................................................................................. *2*
– mélanome ................................................................................................................................... *2*
– kératose actinique et risque de dégénérescence ..................................................................... *2*

■ Recommandations :
– protection solaire : vêtements amples et ouvrants (manches, jambes) .................................. *2*
– chapeau, lunettes de soleil ....................................................................................................... *1*
– crème à indice élevé sur les zones non protégées à renouveler toutes les deux heures ....... *2*
– pas d'exposition aux heures les plus chaudes .......................................................................... *2*

## Conseils du conférencier

➜ *Dossier sur les risques cancérologiques cutanés.*

➜ *Les kératoses séborrhéiques ne présentent pas de risque de dégénérescence.*

➜ *Les kératoses actiniques constituent des lésions précancéreuses de carcinome épidermoïde.*

➜ *La mélanose de Dubreuilh touche surtout le visage des sujets âgés. Dans l'énoncé, l'évolution lente oriente vers ce diagnostic. Les marges d'exérèse sont de 1 cm mais peuvent être réduites à 0,5 cm pour des raisons anatomiques ou fonctionnelles (ce qui sera surement le cas ici), mais sous couvert d'un contrôle strict des berges (technique de Mohs, par exemple).*

## >>> Références

- *Prévention des risques de cancer liés à l'exposition solaire et aux UV*, Ministère de la Santé, 2004.
- *Prise en charge des patients adultes atteints de mélanome M0.* SOR. 2005.
- Conférence de consensus, *Stratégie de diagnostic précoce du mélanome*, HAS, Novembre 2006.

## >>> Item abordé dans ce dossier

**N° 149** – Tumeurs cutanées, épithéliales et mélaniques.

# Ulcéré

## Énoncé

Un patient de 58 ans vient à votre consultation pour une lésion ulcéreuse du membre inférieur gauche évoluant depuis plusieurs mois.

Il a, comme principaux antécédents, un diabète non insulinodépendant, un tabagisme actif à 38 paquet-année, une BPCO, une obésité. Il a fait une phlébite du membre inférieur gauche il y a cinq ans. Son traitement comporte des corticoïdes inhalés (Symbicort®), de la metformine. Il souffre également d'un syndrome d'apnée du sommeil appareillé. Il travaille comme assistant de direction.

Il présente une lésion ulcéreuse de grande taille que vous photographiez (*voir photo*). Elle évolue depuis environ huit mois, et s'agrandit progressivement. Le patient est peu douloureux.

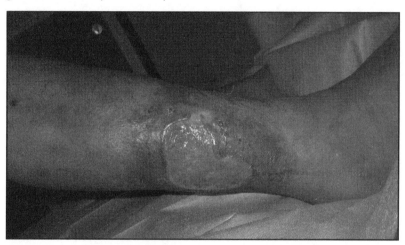

**Voir version en couleurs en fin d'ouvrage.**

## Questions

**1.** Comment décririez-vous cette lésion ? Quel est l'origine probable de cet ulcère ?

**2.** Quelle est la physiopathologie de cet ulcère ?

**3.** Quelles sont les stades de cicatrisation des ulcères ?

**4.** Quelles sont les grandes lignes de votre traitement ?

Il revient vous voir dix jours plus tard. Vous constatez que l'ulcère a régressé en taille. Cependant, de nouvelles lésions sont apparues autour de la lésion ulcéreuse. Vous constatez des lésions microvésiculeuses tout autour de l'ulcère, prurigineuses.

**5.** Quel est le diagnostic le plus probable ?

**6.** Comment traitez-vous cette complication ?

**7.** Grâce à vous, le patient est d'accord pour prendre en charge son obésité. Quelle est la définition de l'obésité ? Quelle prise en charge pouvez-vous lui proposer ?

Un an après le début de votre prise en charge, le patient n'a pas maigri malgré le suivi strict de vos recommandations. L'ulcère a guéri. Cependant, le patient souhaite une chirurgie pour traiter son obésité. Il mesure aujourd'hui 1 m 75 pour 115 kg.

**8.** Quelles sont les types de chirurgie proposés pour le traitement de l'obésité chez l'adulte ? Le patient peut-il en bénéficier et pourquoi ?

## Première lecture et réflexes

- Diabète, tabac, BPCO, SAS :
  - bilan évolutif et complications,
  - bilan cardiovasculaire et artériel.

- Ulcère veineux :
  - SAT-VAT ;
  - contention veineuse.

- Prise en charge de l'obésité : multidisciplinaire et personnalisée.

- Tabac : aide au sevrage.

- P et T : calcul de l'IMC = $P/T^2$.

## Réponses

**1. Comment décririez-vous cette lésion ? Quel est l'origine probable de cet ulcère ?** *(15)*

■ Ulcère à contours géographiques, bien limités .................................................................................................. *3*
– arrondi .................................................................................................................................................................. *2*
– superficiel ............................................................................................................................................................. *2*
– fond propre et fibrineux ...................................................................................................................................... *2*
– sus-malléolaire ..................................................................................................................................................... *1*
– membre inférieur droit ........................................................................................................................................ *1*
– peau péri-ulcéreuse : dermite ocre ..................................................................................................................... *1*

■ Ulcère d'origine veineuse .................................................................................................................................... *3*

**2. Quelle est la physiopathologie de cet ulcère ?** *(10)*

■ Insuffisance veineuse chronique .......................................................................................................................... *4*

■ Insuffisance valvulaire ou post-thrombotique .................................................................................................... *2*

■ Atteinte de la microcirculation ............................................................................................................................ *2*

■ Microangiopathie ................................................................................................................................................. *2*

**3. Quelles sont les stades de cicatrisation des ulcères ?** *(8)*

■ Nettoyage .............................................................................................................................................................. *2*

■ Détersion .............................................................................................................................................................. *2*

■ Bourgeonnement ................................................................................................................................................. *2*

■ Réépithélialisation ................................................................................................................................................ *2*

**4. Quelles sont les grandes lignes de votre traitement ?** *(17)*

■ Prise en charge ambulatoire ................................................................................................................................ *NC*

■ Traitement local par une infirmière :
– nettoyage à l'eau ou sérum physiopathologique ................................................................................................ *2*
– détersion fibrine .................................................................................................................................................. *2*
– pansement hydrocolloïde ..................................................................................................................................... *2*

- Mobilisation (kinésithérapie si nécessaire) ................................................................................ *NC*

- Traitement étiologique :
– contention avant le lever tous les jours, en favorisant la contention multi-couches ........................ *2*
– traitement des comorbidités : prise en charge du surpoids, traitement du diabète .......................... *2*
– sevrage tabagique ...................................................................................................................... *2*
– recherche et traitement d'une AOMI associée si besoin ............................................................... *NC*

- Traitement symptomatique :
– antalgiques ................................................................................................................................ *1*
– **SAT-VAT (PMZ)** .................................................................................................................... *2*

- Surveillance ................................................................................................................................ *2*

---

### 5. Quel est le diagnostic le plus probable ? *(10)*

- Eczématisation secondaire au pansement ...................................................................................... *10*

---

### 6. Comment traitez-vous cette complication ? *(10)*

- **Arrêt du pansement imputable (PMZ)** .................................................................................... *5*
- Corticoïdes locaux sur la zone eczématisée .................................................................................. *5*

---

### 7. Grâce à vous, le patient est d'accord pour prendre en charge son obésité. Quelle est la définition de l'obésité ? Quelle prise en charge pouvez-vous lui proposer ? *(15)*

- Définition : IMC > 30 kg/m² ........................................................................................................ *3*

- Prise en charge multidisciplinaire :
– diététicienne .............................................................................................................................. *1*
– apports caloriques surveillés : régime personnalisé selon les habitudes alimentaires, hypocalorique ........ *2*
– activité physique régulière .......................................................................................................... *2*
– éducation du patient et de l'entourage ........................................................................................ *2*
– soutien psychologique ................................................................................................................ *2*

- Traitement des comorbidités associées .......................................................................................... *1*

- Surveillance ................................................................................................................................ *2*

---

### 8. Quelles sont les types de chirurgie proposés pour le traitement de l'obésité chez l'adulte ? Le patient peut-il en bénéficier et pourquoi ? *(15)*

- Types de chirurgie :
– anneau gastrique ........................................................................................................................ *2*
– gastroplastie avec risque de malabsorption ................................................................................. *2*

- Oui, le patient peut en bénéficier ................................................................................................ *3*

- Arguments :
– IMC > 35 kg/m² ......................................................................................................................... *2*
– avec comorbidités (SAS ; diabète) .............................................................................................. *1*
– absence de perte de poids suffisante .......................................................................................... *2*
– échec des règles diététiques depuis 12 mois ............................................................................... *2*
– ulcère cicatrisé donc pas de contre-indication opératoire ............................................................ *1*

# Conseils du conférencier

→ *Dossier classique, sans difficulté.*

→ *La désinfection d'un ulcère n'est pas nécessaire, les traitements antibiotiques locaux ou généraux ne sont pas recommandés de manière systématique.*

## >>> Références

- Recommandations pour la pratique clinique. *Recommandations sur la prise en charge chirurgicale de l'obésité chez l'adulte.* HAS, 2009.
- Recommandations pour la pratique clinique. *Recommandations sur les ulcères.* HAS, 2006.

## >>> Items abordés dans ce dossier

**N° 136** – Insuffisance veineuse et varices.

**N° 137** – Ulcère de jambe.

**N° 267** – Obésité de l'enfant et de l'adulte.

# La calculatrice

## Énoncé

Vous voyez en consultation une jeune femme de 19 ans pour des lésions du visage. Elle mesure 1 m 58 et pèse 75 kg. Elle n'a pas d'antécédent particulier, ni de traitement en dehors d'une contraception par lévonorgestrel et éthinylestradiol (Adépal®) depuis six mois. Elle est actuellement en 1re année de médecine et a un peu attendu avant de venir vous voir. Elle vit chez ses parents, est célibataire sans enfant.

Depuis 3 mois, elle présente ces lésions du visage, sur le menton et le front (*voir photo*). Elles sont quasi permanentes et la gênent esthétiquement. Elles ne sont pas prurigineuses.

C'est la première fois que cela lui arrive. Sa sœur ainée n'a jamais présenté de telles lésions.

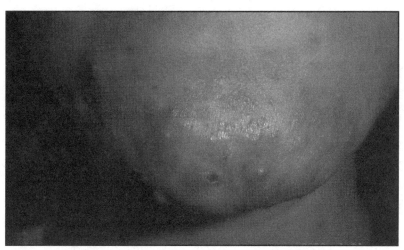

**Voir version en couleurs en fin d'ouvrage.**

## ? Questions

**1.** Comment décririez-vous ces lésions du menton ?

**2.** Quel est votre diagnostic nosologique ?

**3.** Quelles en sont les étiologies possibles ?

**4.** Elle a en fait déjà consulté un de vos collègues qui lui a prescrit un traitement local, mais elle ne sait plus lequel. Quels sont les traitements qu'elle a pu recevoir ?

**5.** Lors de son suivi, vous êtes amené à lui prescrire des rétinoïdes par voie orale. Quelles recommandations lui donnez-vous ?

Quelques années plus tard, vous la croisez à nouveau. Elle a arrêté votre traitement depuis longtemps car elle a un désir de grossesse. Elle est venue voir son gynécologue car il n'y a pas de grossesse malgré une aménorrhée.

Les lésions initiales sont toujours présentes. Vous constatez une pilosité du menton et du haut du dos, ainsi qu'une alopécie temporale.

**6.** Que vous évoque ce tableau ? Sur quels critères ?

**7.** Quels examens va prescrire votre collègue pour confirmer le diagnostic ?

## Première lecture et réflexes

- Femme en âge de procréer : βHCG et contraception si traitement tératogène.

- Acné : éducation, contraception à adapter.

- Poids et taille : calcul de l'IMC = $P/T^2$.

## Réponses

### 1. Comment décririez-vous ces lésions du menton ? *(8)*

- Lésions papuleuses ................................................................................................................ *2*
- Excoriées ................................................................................................................................ *2*
- Inflammatoires ....................................................................................................................... *2*
- Sur peau saine ....................................................................................................................... *2*
- Du menton ............................................................................................................................ *NC*

### 2. Quel est votre diagnostic nosologique ? *(10)*

- **Acné papulonodulaire** du visage ...................................................................................... *10*

### 3. Quelles en sont les étiologies possibles ? *(10)*

- Juvénile ................................................................................................................................. *2*
- Grossesse .............................................................................................................................. *1*
- Causes exogènes : ................................................................................................................. *1*
  – médicaments (corticoïdes, neuroleptiques, etc.) ............................................................. *1*
  – cosmétiques ...................................................................................................................... *1*
  – mécaniques ....................................................................................................................... *NC*
- Causes endocriniennes : ...................................................................................................... *1*
  – syndrome ovaires polykystiques ...................................................................................... *1*
  – hypercorticisme ................................................................................................................ *1*
  – hyperplasie ou adénome des surrénales ........................................................................... *1*
  – tumeur de l'ovaire ............................................................................................................ *NC*

### 4. Elle a en fait déjà consulté un de vos collègues qui lui a prescrit un traitement local, mais elle ne sait plus lequel. Quels sont les traitements qu'elle a pu recevoir ? *(15)*

- Anti-inflammatoires :
  – peroxyde de benzoyle ...................................................................................................... *4*
  – antibiotique local ............................................................................................................. *4*
  – acide azélaïque ................................................................................................................. *2*
- Kératolytique (vitamine A topique) : rétinoïdes topiques .................................................. *4*
- Nettoyage doux .................................................................................................................... *1*

**5. Lors de son suivi, vous êtes amené à lui prescrire des rétinoïdes par voie orale. Quelles recommandations lui donnez-vous ?** *(18)*

■ **Contraception efficace obligatoire** (un mois avant et un mois après) **(PMZ)** ............................................. *5*

■ Surveillance bilan lipidique et hépatique ............................................................................................ *5*

■ Respect des posologies ................................................................................................................ *1*

■ Effets secondaires possibles : sécheresse cutanée et muqueuse, malaise général, myalgies ................................. *2*

■ Consultation si céphalées importantes (risque d'hypertension intracrânienne) ...................................... *1*

■ Photoprotection ....................................................................................................................... *2*

■ **Surveillance** obligatoire .......................................................................................................... *2*

---

**6. Que vous évoque ce tableau ? Sur quels critères ?** *(26)*

■ **Syndrome des ovaires polykystiques** (SOPK) ........................................................................... *10*

■ Critères :

– terrain : femme jeune .............................................................................................................. *2*

– aménorrhée secondaire ............................................................................................................ *3*

– infécondité ......................................................................................................................... *3*

– hirsutisme ........................................................................................................................... *3*

– signes d'hyperandrogénie (acné, alopécie temporale) ...................................................................... *3*

– obésité avec IMC = $P/T^2$ = $75/1,58^2$ = ... > 30 ....................................................................... *2*

---

**7. Quels examens va prescrire votre collègue pour confirmer le diagnostic ?** *(13)*

■ **Échographie** pelvienne et endovaginale .................................................................................. *5*

■ **Dosages hormonaux** :

– gonadotrophines : LH, FSH, estradiol, test LHRH ........................................................................ *3*

– androgènes (testostérone libre, delta androstènedione, SDHA) ......................................................... *3*

– 17 OH progestérone, œstrogènes, prolactine ............................................................................. *2*

■ Insuline ............................................................................................................................... *NC*

## Conseils du conférencier

→ *En dehors des causes exogènes, le SOPK est la cause principale d'acné secondaire chez la femme jeune et peut être la cause d'infécondité.*

→ *Afin de retrouver les dosages hormonaux à réaliser, reprendre par hiérarchie : hypophyse, organes périphériques (organes génitaux et surrénales).*

→ *Dossier monothématique sur l'acné, reprenant les différents aspects de la pathologie :*
   *– présentation clinique ;*
   *– traitements ;*
   *– causes secondaires possibles.*

→ *Le dossier oriente clairement vers une cause secondaire de l'acné.*

Recommandations de bonne pratique. *Traitement de l'acné par voie locale et générale.* AFSSAPS, Novembre 2007.

**N° 232** – Dermatoses faciales. Acné, rosacée, dermatite séborrhéique.

# La maraîchère fleurie

## Énoncé

En consultation, vous êtes amené à voir une femme de 46 ans pour un suivi dermatologique. Elle présente un érythème facial ainsi que quelques télangiectasies. Elle se plaint de bouffées de chaleur, surtout lors des changements de température ou de la prise d'alcool. Ces symptômes sont anciens mais elle a remarqué l'apparition récente de lésions papuleuses malaires.

Elle travaille comme maraîchère. Elle a trois enfants de 17 et 15 ans en bonne santé. Elle n'a aucun antécédent et se sent en parfaite santé. Elle n'a pas revu son médecin traitant depuis trois ans. Elle ne prend aucun traitement en dehors de paracétamol occasionnellement.

## Questions

**1.** Quel diagnostic évoquez-vous en ce qui concerne la symptomatologie fonctionnelle de la patiente ?

**2.** Quel traitement pouvez-vous lui proposer ?

Vous la revoyez trois mois plus tard dans le cadre du suivi. Ses symptômes ont bien régressé, il persiste cependant des télangiectasies qui ne la gênent pas.

Elle vous montre son dos car son mari a remarqué une lésion de 6 mm qui n'existait pas il y a un an. (*Voir photo*)

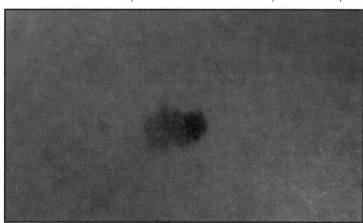

**Voir version en couleurs en fin d'ouvrage.**

**3.** Décrivez la lésion.

**4.** Quels sont les diagnostics possibles devant une lésion noire ? Lequel suspectez-vous ici ?

**5.** Comment complétez-vous votre examen ?

**6.** Le reste de l'examen clinique est normal. Quel examen allez-vous demander ? Dans quel(s) but(s) ?

**7.** La lésion mesure 2 mm d'épaisseur. Il n'y a pas de signes d'extension de la maladie. Quel traitement allez-vous instaurer ?

## Première lecture et réflexes

- Travail en extérieur et dermatologie : photoexposition, mélanome.

- Lésion noire cutanée = évoquer le mélanome.

## Réponses

**1. Quel diagnostic évoquez-vous en ce qui concerne la symptomatologie fonctionnelle de la patiente ?** *(10)*
- **Rosacée** du visage ......................................................................................................... **10**

**2. Quel traitement pouvez-vous lui proposer ?** *(10)*
- Traitement ambulatoire ..................................................................................................... **NC**
- Traitement local : métronidazole topique (1 application par jour pendant 3 mois) .............. **3**
- Laser vasculaire sur les télangiectasies ............................................................................... **3**
- Règles hygiénodiététiques : ................................................................................................ **3**
  – pas de corps gras
  – éviter l'alcool
- Surveillance .......................................................................................................................... **1**

**3. Décrivez la lésion.** *(14)*
- Lésion brun-noir papuleuse ................................................................................................ **5**
- Hétérogène ......................................................................................................................... **3**
- Irrégulière ........................................................................................................................... **3**
- Asymétrique ........................................................................................................................ **3**
- Du dos ................................................................................................................................. **NC**
- Suspecte .............................................................................................................................. **NC**

**4. Quels sont les diagnostics possibles devant une lésion noire ? Lequel suspectez-vous ici ?** *(19)*
- Diagnostics possibles :
  – **mélanome (PMZ)** ........................................................................................................ **5**
  – carcinome basocellulaire tatoué ...................................................................................... **3**
  – nævus .............................................................................................................................. **2**
  – kératoses séborrhéiques .................................................................................................. **2**
  – angiomes thrombosés ...................................................................................................... **2**
- Diagnostic suspecté : mélanome du dos ............................................................................ **5**

**5. Comment complétez-vous votre examen ?** *(14)*
- Interrogatoire : antécédent de mélanome personnel ou familial, nævus préexistant ......... **2**
- Exposition solaire (dans l'enfance et habituelle) ................................................................. **2**
- Symptomatologie fonctionnelle (prurit, douleur) ................................................................ **1**
- Photographies anciennes du dos ......................................................................................... **1**

- Examen physique :
- examen de la lésion : taille, saignement, ulcération, nodule (sur lésion et en périphérie) ......................... *NC*
- examen au dermatoscope et **photographie** ................................................................................................ *NC*
- **examen de tout le tégument et des muqueuses :** recherche d'autres lésions suspectes
  et de nodules en transit avec photographies ................................................................................................ *4*
- aires ganglionnaires ....................................................................................................................................... *2*
- palpation hépatosplénique .............................................................................................................................. *1*
- examen neurologique, auscultation pulmonaire ............................................................................................. *1*

**6. Le reste de l'examen clinique est normal. Quel examen allez-vous demander ? Dans quel(s) but(s) ?** *(13)*

- Examen anatomopathologique de l'ensemble de la lésion après **biopsie-exérèse** jusqu'à l'hypoderme ......... *5*
- Intérêt **diagnostique** et type de mélanome (superficiel, nodulaire) ................................................................ *4*
- Intérêt **pronostique** (indice de Breslow, ulcération, régression, index mitotique) ......................................... *4*

**7. La lésion mesure 2 mm d'épaisseur. Il n'y a pas de signes d'extension de la maladie. Quel traitement allez-vous instaurer ?** *(20)*

- **Reprise chirurgicale** ......................................................................................................................................... *5*
- Marge de 2 cm .................................................................................................................................................. *5*
- Ganglion sentinelle (> 1 mm) pouvant être proposé ....................................................................................... *3*
- Interféron alpha pouvant être proposé (augmente la survie sans récidive) ....................................................... *3*
- **Surveillance régulière à vie** (auto-surveillance et consultation régulière) **(PMZ)** ..................................... *2*
- Dépistage des membres de la famille (premier degré) ..................................................................................... *1*
- Conseils de protection solaire ......................................................................................................................... *1*

# Conseils du conférencier

→ *Suspicion de mélanome : analyse histologique de toute la lésion (exérèse sans marge) afin d'obtenir le Breslow.*

→ *L'indice de Breslow est le facteur pronostique le plus important.*

→ *Le ganglion sentinelle peut être proposé sur les mélanomes > 1 mm ou ulcérés. Il n'y pas d'indication à proposer un curage ganglionnaire systématique.*

## >>> Référence

Recommandations pour la pratique clinique. *SOR pour la prise en charge des patients atteints d'un mélanome cutané.* Société française de dermatologie et de l'association des dermatologistes francophones, 2005.

## >>> Items abordés dans ce dossier

**N° 149** – Tumeurs cutanées, épithéliales et mélaniques.

**N° 232** – Dermatoses faciales. Acné, rosacée, dermatite séborrhéique.

# Ça vous gratouille ou ça vous chatouille ?

## Énoncé

Un patient de 25 ans vient consulter pour la première fois. Il se plaint d'un prurit chronique.

Il s'agit d'un étudiant en histoire, sans antécédent familial particulier. Il ne prend pas de traitement au long cours. Il signale une allergie aux acariens et pollen et a été désensibilisé dans l'enfance. Il ne fume pas et ne consomme pas d'alcool. Il n'a jamais eu de problème dermatologique par le passé.

Il présente un prurit chronique permanent diffus depuis un mois, associé à une asthénie. Il a perdu un peu de poids ces derniers temps.

 **Questions**

1. Quels sont les deux diagnostics à évoquer chez ce jeune homme devant un prurit isolé ?
2. Comment orientez-vous votre interrogatoire et votre examen clinique ?
3. Vous retenez l'hypothèse infectieuse. Quels éléments de l'examen physique dermatologique ont pu vous orienter ?
4. Votre diagnostic se confirme. Quel traitement local pouvez-vous-lui prescrire ? Écrivez votre ordonnance.
5. Prescrivez-vous un bilan complémentaire ? Si oui, lequel ?
6. Quelles recommandations lui prodiguez-vous ?

Vous le revoyez comme prévu. Après avoir appliqué le traitement prescrit, il va beaucoup mieux.

Cependant, il vous signale que son grand-père, qui est diabétique, et chez qui il passe ses week-ends, se plaint également d'un prurit diffus assez modéré depuis deux semaines. Par contre, il n'a pas les mêmes lésions, il présente des « plaques croûteuses sur tout le corps, le visage et même le cuir chevelu ».

7. Quel diagnostic suspectez-vous ?
8. En cas de confirmation diagnostique, quelle est votre attitude thérapeutique immédiate ?

# Première lecture et réflexes

- Prurit chronique : évoquer la gale.
- Prurit + AES = hémopathie.
- Contexte de gale :
  – bilan IST ;
  – mesures IST (dépistage et traitement des partenaires).

## Réponses

**1. Quels sont les deux diagnostics à évoquer chez ce jeune homme devant un prurit isolé ?** *(10)*

- Lymphome ......................................................................................................................... 5
- Gale .................................................................................................................................. 5

**2. Comment orientez-vous votre interrogatoire et votre examen clinique ?** *(15)*

- Interrogatoire :
- prise médicamenteuse ...................................................................................................... *1*
- prurit familial, notion de contage ...................................................................................... *2*
- poids habituel ................................................................................................................. *1*
- caractéristiques du prurit : recrudescence nocturne, localisation ....................................... *1*

- Examen général :
- poids, taille, état général .................................................................................................. *2*
- adénopathies ................................................................................................................... *2*
- palpation hépatique et splénique ...................................................................................... *1*
- **Examen cutané (tout le tégument et les muqueuses)** ...................................................... *1*
- lésions cutanées évocatrices de gale ................................................................................. *2*
- lésions de grattage .......................................................................................................... *1*
- complications : impétiginisation, prurigo .......................................................................... *1*

**3. Vous retenez l'hypothèse infectieuse. Quels éléments de l'examen physique dermatologique ont pu vous orienter ?** *(10)*

- Lésions :
- vésicules ......................................................................................................................... *2*
- sillons ............................................................................................................................. *2*
- nodules (surtout sur les organes génitaux) ......................................................................... *2*

- Localisations :
- mains (face antérieure des poignets, espaces interdigitaux) ................................................ *2*
- mamelons, ombilic .......................................................................................................... *1*
- organes génitaux externes ................................................................................................ *1*

**4. Votre diagnostic se confirme. Quel traitement local pouvez-vous-lui prescrire ? Écrivez votre ordonnance.** *(21)*

- Traitement ambulatoire .................................................................................................................. **NC**
- Traitement local par scabicide de type benzoate de benzyle (Ascabiol®) ..................................... **5**
- Ordonnance :
  – nom, prénom ............................................................................................................................. **1**
  – date ........................................................................................................................................... **1**
  – âge et poids ............................................................................................................................... **1**
  – Ascabiol® : ................................................................................................................................. **2**
     • I application sur tout le corps, sauf le visage, après la douche .............................................. **1**
     • à laisser en place puis douche à 24 h .................................................................................... **1**
     • renouveler l'opération 24 h plus tard ................................................................................... **1**
     • 2 flacons ................................................................................................................................ **NC**
  – A-Par® : ..................................................................................................................................... **2**
     • lavage du linge et de la literie à 60 °C .................................................................................. **2**
     • puis saupoudrer le linge avec A-Par® et laisser 24 h en place ............................................... **1**
     • I flacon .................................................................................................................................. **NC**
  – n° ADELI ................................................................................................................................... **NC**
  – signature .................................................................................................................................... **1**
- Traitement sujets contacts par ivermectine (ordonnance donnée en mains propres) ................... **2**

---

**5. Prescrivez-vous un bilan complémentaire ? Si oui, lequel ?** *(10)*

- Oui .............................................................................................................................................. **5**

**■ Bilan IST (PMZ) :**
  – sérologie VIH (avec accord du patient) ..................................................................................... **2**
  – sérologies VHB, VHC ................................................................................................................ **1**
  – sérologie syphilis ........................................................................................................................ **1**
  – prélèvement gonocoque (urétral) et chlamydiæ (PCR I er jet) ..................................................... **1**

---

**6. Quelles recommandations lui prodiguez-vous ?** *(14)*

- Pour la gale :
  – traitement de tous les sujets le même jour ................................................................................ **2**
  – observance indispensable ........................................................................................................... **2**
  – persistance possible du prurit ..................................................................................................... **2**
  – irritation cutanée possible .......................................................................................................... **1**
- Pour les IST :
  – éducation ................................................................................................................................... **2**
  – rapports sexuels protégés ........................................................................................................... **2**
  – dépistage partenaires ................................................................................................................. **2**
- Consultation de suivi deux semaines après ................................................................................... **1**

---

**7. Quel diagnostic suspectez-vous ?** *(10)*

- Gale norvégienne ou gale croûteuse généralisée ........................................................................ **10**

**8. En cas de confirmation diagnostique, quelle est votre attitude thérapeutique immédiate ?** *(10)*

■ Traitement en hospitalisation ................................................................................................................ *1*

■ **Isolement de contact (PMZ)** ..................................................................................................... *2*

■ Traitement étiologique :
– traitement systémique par ivermectine (Stromectol®) ................................................................... *2*
– traitement local par benzoate de benzyle .................................................................................. *2*

■ Traitement symptomatique :
– vaseline salicylée si croûtes majeures ........................................................................................ *1*

■ Mesures associées :
– dépistage et traitement des sujets contacts .............................................................................. *1*

■ Surveillance .......................................................................................................................................... *1*

 ## Conseils du conférencier

➜ *Pas de difficulté pour ce dossier classique de gale.*

➜ *Devant un prurit chronique :*
  *– gale toujours à évoquer ;*
  *– deuxième diagnostic plus difficile à choisir : chez le sujet jeune, sans antécédent ni contexte alcoolotabagique, évoquer l'hémopathie lymphoïde.*

➜ *Une autre question souvent posée : causes de prurit persistant après traitement de la gale.*

➜ *Si la voie d'administration n'est pas précisée, indiquer les deux possibilités de traitement :*
  *– local (benzoate de benzyle) ;*
  *– oral (ivermectine).*

➜ *Les sujets contacts sont traités par de l'ivermectine (Stromectol®).*

➜ *La gale croûteuse généralisée touche surtout les sujets âgés et les patients immunodéprimés.*

➜ *L'isolement de contact est indispensable en hospitalisation du fait du risque très élevé de contagiosité. Le traitement est à la fois local et systémique.*

### ⟩⟩⟩ Items abordés dans ce dossier

**N° 79** – Ectoparasitoses cutanées : gale et pédiculose.

**N° 329** – Prurit (avec le traitement).

## Énoncé

On vous appelle aux urgences pour un avis dermatologique. Votre collègue urgentiste vous fait un résumé de la situation : il s'agit d'une jeune patiente de 32 ans qui consulte aux urgences pour « érythrodermie » évoluant depuis cinq jours. C'est la première fois qu'elle consulte aux urgences. Elle est très asthénique et il n'a pas pu l'interroger longtemps. Elle a mentionné une épilepsie ancienne et un voyage récent à l'étranger. Il confirme l'érythrodermie, mais vous sollicite pour l'orienter dans la démarche diagnostique.

Avant tout, vous relevez les constantes de la patiente : T° à 38,3 °C, PA à 95/60 mm Hg, Fc à 100/min.

## Questions

**1.** Qu'est ce qu'une érythrodermie et quelles en sont les quatre principales étiologies ?

**2.** Quelles complications immédiates recherchez-vous ?

**3.** Comment orientez-vous votre examen clinique pour avancer dans le diagnostic ?

À l'examen vous avez noté un train subfébrile, des adénopathies centimétriques cervicales et inguinales, un œdème marqué du visage. Elle présente en effet une érythrodermie desquamative à certains endroits. Il n'y a pas d'atteinte des muqueuses.

À l'interrogatoire, elle signale un antécédent d'eczéma dans l'enfance, une allergie aux pollens et poils de chiens et une épilepsie. Elle est coiffeuse. Elle a voyagé en Inde il y a deux mois. Là-bas, elle a présenté une crise comitiale qui a motivé son neurologue à changer son traitement il y a six semaines. Ainsi, elle a arrêté le valproate de sodium (Dépakine®) et a débuté un traitement par carbamazépine (Tégrétol®).

Son médecin a prescrit des AINS pour céphalées il y a six jours, qu'elle a pris jusqu'à ce jour.

**4.** Quel diagnostic suspectez-vous ?

**5.** Quels examens complémentaires prescrivez-vous et dans quel but ?

**6.** Votre diagnostic se confirme. Quel traitement allez-vous instituer ?

**7.** Grâce à votre prise en charge, l'évolution est favorable. À la sortie de la patiente, quelles recommandations lui donnez-vous ?

# Première lecture et réflexes

- Femme en âge de procréer : βHCG, contraception.

- Suspicion de toxidermie :
  - arrêt immédiat du médicament ;
  - contre-indication à vie ;
  - déclaration à la pharmacovigilance.

- Arguments :
  - imputabilité extrinsèque ;
  - imputabilité intrinsèque.

- Fièvre : bilan infectieux et des portes d'entrée, hémocultures.

- Fièvre < 3 mois retour d'Inde : éliminer le paludisme.

## Réponses

**1. Qu'est ce qu'une érythrodermie et quelles en sont les quatre principales étiologies ?** *(14)*

■ **Éruption > 80 % surface corporelle :** .................................................................................. **2**
- avec desquamation fréquente
- d'évolution prolongée

■ Étiologies :
- toxidermie ......................................................................................................................... **3**
- eczéma ............................................................................................................................. **3**
- psoriasis ........................................................................................................................... **3**
- lymphome ......................................................................................................................... **3**

■ Autres : gale norvégienne, lichen (chez l'adulte)

**2. Quelles complications immédiates recherchez-vous ?** *(9)*

■ Complications hydro-électrolytiques : déshydratation ................................................... **3**

■ Complications infectieuses : argument pour une infection .............................................. **3**

■ Dénutrition ..................................................................................................................... **3**

**3. Comment orientez-vous votre examen clinique pour avancer dans le diagnostic ?** *(24)*

■ Interrogatoire :
- antécédents .................................................................................................................. *NC*
- **prise médicamenteuse et délai (PMZ)** ................................................................. *5*
- sujets contacts .............................................................................................................. *2*
- dermatose connue préexistante ................................................................................... *2*

■ **Examen de tout le tégument et des muqueuses (PMZ) :**
- lésions élémentaires ...................................................................................................... *3*
- regroupement des lésions, localisation ......................................................................... *2*
- atteinte des phanères .................................................................................................... *2*
- atteinte muqueuse ......................................................................................................... *2*

■ Examen général complet
- fièvre .............................................................................................................................. *2*

- ADP ......................................................................................................................................... *2*
- auscultation pulmonaire et prise saturation ...................................................................... *2*
- palpation abdominale, examen neurologique ..................................................................... *NC*

## 4. Quel diagnostic suspectez-vous ? *(10)*

■ Toxidermie de type **DRESS à la carbamazépine** ...................................................... *10*

## 5. Quels examens complémentaires prescrivez-vous et dans quel but ? *(13)*

■ Confirmer le diagnostic :
- NFS (recherche hyperéosinophilie) ................................................................................... *3*
- frottis (lymphocytes hyperbasophiles) ............................................................................. *3*
- bilan virologique (notamment PCR HHV6) à la recherche d'une réactivation virale ............... *NC*
- prélèvement cutané avec analyse histologique ................................................................ *NC*

■ Recherche de complications :
- FGE : paludisme associé ?
- créatininémie, bandelette urinaire ................................................................................... *2*
- bilan hépatique ................................................................................................................. *2*
- radiographie thorax .......................................................................................................... *3*
- orienté en fonction de la clinique (GDS si saturation basse) ......................................... *NC*

■ Recherche terrain : bêta HCG ......................................................................................... *NC*

## 6. Votre diagnostic se confirme. Quel traitement allez-vous instituer ? *(20)*

■ Hospitalisation en médecine ............................................................................................. *1*

■ Traitement étiologique :
- **arrêt immédiat de la carbamazépine** et de tout traitement non indispensable **(PMZ)** ......................... *5*
- relais par autre antiépileptique (benzodiazépines par exemple) .................................... *NC*

■ Traitement symptomatique :
- antipyrétique si besoin ..................................................................................................... *1*
- corticothérapie locale ....................................................................................................... *5*

■ Traitement des complications : ......................................................................................... *3*
- nutrition
- hydratation orale ou parentérale

■ Surveillance rapprochée .................................................................................................... *3*

■ Déclaration à la pharmacovigilance ................................................................................. *2*

## 7. Grâce à votre prise en charge, l'évolution est favorable. À la sortie de la patiente, quelles recommandations lui donnez-vous ? *(10)*

■ **Contre-indication à vie (PMZ)** ................................................................................. *5*

■ Carte à porter sur soi ...................................................................................................... *3*

■ Courrier au neurologue ..................................................................................................... *2*

■ Pas d'exposition solaire ..................................................................................................... *NC*

# Conseils du conférencier

➜ *DRESS* (drug reaction with eosinophilia and systemic symptoms) : *toxidermie grave survenant 2 à 6 semaines après la prise médicamenteuse :*

- *signes cliniques :*
  - *– exanthème voire érythrodermie ;*
  - *– œdème visage et haut du tronc ;*
  - *– adénopathies périphériques ;*
  - *– syndrome fébrile ;*
- *atteinte viscérale :*
  - *– hépatique (hépatite cytolytique) ;*
  - *– rénale (néphropathie interstitielle) ;*
  - *– pulmonaire ;*
  - *– myocardite, atteinte neurologique, etc. ;*
- *signes biologiques :*
  - *– HES ;*
  - *– lymphocytes hyperbasophiles ;*
  - *– une réaction virale, notamment à HHV6 n'est pas rare.*

➜ *Les médicaments les plus souvent incriminés : carbamazépine, phénobarbital, phénytoïne, minocycline, etc.*

➜ *Les toxidermies ne sont pas à proprement parler détaillées comme item, mais rentrent dans le cadre global de l'item n° 314.*

## >>> Items abordés dans ce dossier

**N° 181** – Iatrogénie. Diagnostic et prévention.

**N° 314** – Exanthème, érythrodermie.

# En cloque

## Énoncé

Vous êtes appelé en gériatrie pour un avis. Dans le service de long séjour, l'infirmière souhaite vous parler d'un patient de 80 ans qui présente depuis plusieurs semaines un prurit diffus.

Il s'agit d'un patient souffrant d'une démence de type Alzheimer, ainsi que d'une hypertension artérielle traitée par nicardipine (Loxen®) depuis plus de 15 ans. Il est veuf, a trois enfants qui viennent le voir régulièrement. Il se mobilise avec difficulté et reste surtout au fauteuil dans la journée.

Personne dans son entourage, le personnel, ainsi que le patient partageant sa chambre, ne présente de tels symptômes. Il est en bon état général. Il pèse 70 kg pour 1 m 75.

## ? Questions

**1.** Avant de l'examiner, quels diagnostics pouvez-vous évoquer ?

À l'examen, vous trouvez des plaques urticariennes prurigineuses des faces internes des bras et des cuisses, ainsi que des lésions des membres inférieurs (*voir photo*).

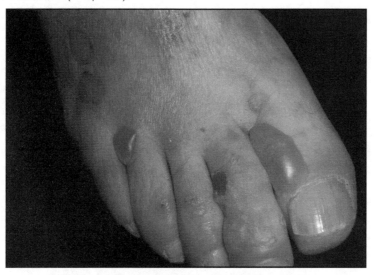

**Voir version en couleurs en fin d'ouvrage.**

**2.** Comment décririez-vous les lésions ?

**3.** Quel est le diagnostic que vous suspectez ?

**4.** Quels sont les trois examens complémentaires qui vous semblent importants pour confirmer votre diagnostic ?

**5.** Quel traitement instituez-vous ?

Vous le revoyez 15 jours plus tard pour juger de l'évolution de la maladie. Les lésions ont bien régressé, mais vous constatez des lésions purpuriques en nappes de la face interne des bras.

**6.** Quel est votre diagnostic ?

Vous constatez également que le patient a perdu 3 kg en 15 jours. Pendant ces 15 jours, il s'est très peu alimenté car le prurit le gênait.

**7.** Quels sont les apports caloriques préconisés à cet âge ?

Le patient a fini par guérir. Vous le voyez régulièrement, vous ne notez aucune récidive et le traitement a pu être arrêté.

Un jour, cependant, on vous appelle car le patient présente des fissures érythématosquameuses des 2$^e$ et 3$^e$ espaces interdigitaux des pieds droit et gauche. L'examen du reste du tégument est normal.

**8.** Quel est le diagnostic suspecté et quel traitement allez-vous entreprendre ?

# Première lecture et réflexes

- Prurit dans contexte de collectivité = évoquer la gale.
- Poids et taille : calcul de l'IMC = $P/T^2$.
- Traitement et dermatologie : toxidermie, arrêt ?

## Réponses

**1. Avant de l'examiner, quels diagnostics pouvez-vous évoquer ?** *(15)*

■ Pathologie dermatologique :
– dermatose bulleuse ................................................................................................................................ *2*
– eczéma ...................................................................................................................................................... *2*
– toxidermie ................................................................................................................................................ *2*

■ Pathologie systémique :
– insuffisance rénale ................................................................................................................................. *2*
– cholestase ................................................................................................................................................. *2*
– hémopathie maligne ............................................................................................................................... *1*
– endocrinopathie ...................................................................................................................................... *1*

■ Pathologie infectieuse :
– parasitose ................................................................................................................................................. *1*
– **gale (PMZ)** ......................................................................................................................................... *2*

**2. Comment décririez-vous les lésions ?** *(15)*

■ **Lésions bulleuses** ............................................................................................................................... *5*
– tendues ...................................................................................................................................................... *3*
– sur peau saine .......................................................................................................................................... *2*

■ Érosions arrondies post-bulleuses ...................................................................................................... *4*
– du dos du pied droit ............................................................................................................................... *1*

**3. Quel est le diagnostic que vous suspectez ?** *(10)*

■ Dermatose bulleuse auto-immune de type : **pemphigoïde bulleuse** ............................................ *10*

**4. Quels sont les trois examens complémentaires qui vous semblent importants pour confirmer votre diagnostic ?** *(15)*

■ NFS (recherche d'hyperéosinophilie) ................................................................................................. *5*

■ Recherche d'anticorps antimembrane basale ................................................................................... *5*

■ Prélèvement cutané pour examen histologique et immunofluorescence à la recherche de décollement sous épidermique et marquage en bande (IgG/C3) à la jonction dermo-épidermique .................. *5*

**5. Quel traitement instituez-vous ?** *(12)*

■ Maintien dans le service de gériatrie ................................................................................................. *NC*

■ Corticothérapie locale de très forte classe type clobetasol (Dermoval®) : 30 g/jour sur tout le corps sauf les plis et le visage, pendant 15 jours, jusqu'à disparition des bulles puis décroissance progressive .......... *5*

■ Émollients ................................................................................................................................................. *2*

■ Comptage et perçage des bulles .......................................................................................................... *3*

■ Surveillance ............................................................................................................................................. *2*

**6. Quel est votre diagnostic ?** *(10)*

- Purpura de Bateman secondaire à la corticothérapie locale ................................................................ *10*

**7. Quels sont les apports nutritionnels préconisés à cet âge ?** *(12)*

- Apports : 30 kcal/kg/24 h soit environ 2 000 kcal/24 h ..................................................................... *5*
- – 50 à 55 % de glucides ............................................................................................................................. *1*
- – 10 à 15 % de protides (1,2 à 1,5 g/kg/j) ................................................................................................ *1*
- – 30 à 35 % de lipides ............................................................................................................................... *1*
- Sel : 2 à 4 g/24 h ...................................................................................................................................... *1*
- Calcium : 1,2 g/24 h ................................................................................................................................. *1*
- Eau : 2 à 2,5 L/24 h .................................................................................................................................. *2*

**8. Quel est le diagnostic suspecté et quel traitement allez-vous entreprendre ?** *(11)*

- **Dermatophytose des petits plis à Trichophyton** ...................................................................... *5*
- Maintien du patient dans le service ....................................................................................................... *NC*
- Traitement étiologique local :
- – antifongique local de type kétoconazole en crème (1 application quotidienne pendant 3 semaines) .......... *3*
- **Recherche et éviction des facteurs favorisants (PMZ)** ........................................................ *2*
- Dépistage et traitement des sujets contacts ......................................................................................... *NC*
- Surveillance ............................................................................................................................................... *1*

 ## Conseils du conférencier

→ *Les dermatoses bulleuses auto-immunes ne constituent pas à proprement parler un item des ECN, mais sont abordées dans les items n<sup>os</sup> 116, 305 et 343.*

→ *La pemphigoïde bulleuse (PB) est la plus fréquente des DBAI, touchant préférentiellement le sujet âgé. Elle est caractérisée par la présence de bulles tendues. L'atteinte muqueuse est rare, mais elle existe. Le décollement est sous-épidermique, par la présence d'anticorps anti MB.*

→ *Le traitement repose sur la corticothérapie locale, et, en cas d'échec, sur les immunosuppresseurs.*

### >>> Référence

Recommandations professionnelles. *Stratégie de prise en charge en cas de dénutrition protéino-énergétique chez la personne âgée.* HAS, 2007.

### >>> Items abordés dans ce dossier

**N° 61** – Troubles nutritionnels chez le sujet âgé.

**N° 87** – Infections cutanéo-muqueuses bactériennes et mycosiques.

**N° 116** – Pathologies auto-immunes : aspects épidémiologiques, diagnostiques et principes de traitement.

**N° 329** – Prurit.

**N° 343** – Ulcérations ou érosions des muqueuses et/ou orales.

# Dossier N° 11 — Lilas

Vous êtes en consultation et vous voyez une patiente de 60 ans qui consulte pour la première fois. Cette patiente consulte pour avoir votre avis sur une éruption récente. Elle n'a pas d'antécédent en dehors d'une hypertension artérielle traitée par inhibiteurs de l'enzyme de conversion depuis 5 ans. Elle est ménopausée depuis l'âge de 45 ans et a reçu un traitement hormonal substitutif pendant 3 ans. Elle est également tabagique (10 cigarettes par jour depuis 20 ans). Elle est mariée et mère de 3 enfants en bonne santé. Sa mère est décédée d'un cancer du sein.

Elle vient vous voir car, depuis 6 semaines, elle a vu apparaître une éruption œdémateuse papuleuse sur les paupières et la face externe des bras, prurigineuse sur les bras. Elle est fatiguée, a perdu 5 kg en 3 mois et n'arrive plus à réaliser certains gestes de la vie quotidienne. « Je n'ai plus de force pour lever les bras ou me relever de mon siège. J'ai mal aux muscles », vous dit-elle.

## Questions

**1.** Quelles sont vos hypothèses diagnostiques devant un œdème palpébral bilatéral subaigu ?

**2.** Quel diagnostic suspectez-vous devant l'ensemble du tableau clinique ?

**3.** Quels autres signes cutanés recherchez-vous pour étayer votre diagnostic ?

**4.** Vous réalisez des examens complémentaires qui vous permettent de confirmer ce diagnostic. Quels sont ces examens ?

**5.** Allez-vous plus loin dans vos explorations étiologiques ? Si oui, pourquoi et que faites-vous comme examens complémentaires ?

Votre bilan permet de mettre en évidence un adénocarcinome pulmonaire.

**6.** Quels sont les grands principes de votre prise en charge thérapeutique ?

Quelques semaines après le début du traitement, vous la trouvez en larmes car elle n'en peut plus de rester à l'hôpital et souhaite rentrer à domicile. Le kinésithérapeute vous signale que des difficultés persistent quant à la marche, mais que la patiente parvient à faire les transferts sans aide. Elle habite au 2e étage avec ascenseur.

**7.** Quelles aides humaines allez-vous solliciter pour encadrer le retour au domicile de la patiente ?

## Première lecture et réflexes

- Tabagisme : sevrage, calcul de dose.

- Question 1 : mentionner en premier le diagnostic de dermatomyosite, qui est le diagnostic principal du dossier.

- En cas de dossier sur dermatomyosite chez un sujet âgé, l'association à une néoplasie est très probable.

## Réponses

**1. Quelles sont vos hypothèses diagnostiques devant un œdème palpébral bilatéral subaigu ?** *(11)*

- Dermatomyosite ................................................................................................... *3*
- Lupus ................................................................................................................... *2*
- Eczéma ................................................................................................................ *2*
- Vascularite urticarienne ...................................................................................... *1*
- Causes métaboliques (hypothyroïdie) ................................................................ *1*
- Dermatoses infectieuses : trichinose, filariose ................................................... *1*
- Causes mécaniques (syndrome cave supérieur) ................................................. *1*

**2. Quel diagnostic suspectez-vous devant l'ensemble du tableau clinique ?** *(10)*
- **Dermatomyosite** ........................................................................................... **10**

**3. Quels autres signes cutanés recherchez-vous pour étayer votre diagnostic ?** *(14)*
- Érythème en bandes des mains ........................................................................... *3*
- Érythème flagellé du dos, du cuir chevelu ......................................................... *2*
- Érythème violacé du décolleté ........................................................................... *2*
- Érythème périunguéal, douloureux à la palpation (signe de la manucure) ......... *3*
- Lésions papuleuses des doigts, des coudes et des genoux ................................. *3*
- Parfois poïkilodermie et nécrose si atteinte évoluée ......................................... *1*

***Remarque :*** *la négativité de ces signes n'élimine pas le diagnostic.*

**4. Vous réalisez des examens complémentaires qui vous permettent de confirmer ce diagnostic. Quels sont ces examens ?** *(15)*

- Biologie : **enzymes musculaires** élevées (CPK, ASAT, ALAT, aldolase) ............... *5*
- AAN non spécifiques (anti-Jo1 et Mi plus spécifiques) ....................................... *2*
- **EMG : syndrome myogène** ............................................................................. *5*
- Biopsie musculaire : myosite inflammatoire ....................................................... *3*
- Histologie cutanée peut retrouver une atteinte jonctionnelle, IFdirecte cutanée négative ........................................... *NC*

**5. Allez-vous plus loin dans vos explorations étiologiques ? Si oui, pourquoi et que faites-vous comme examens complémentaires ?** *(18)*

- Oui .................................................................................................................................................................. *5*

- **Bilan paranéoplasique nécessaire :** ....................................................................................................... *5*
  - car 20 % des dermatomyosites sont paranéoplasiques surtout chez les plus de 50 ans ................................. *3*
  - TDM TAP et cérébrale ........................................................................................................................................ *2*
  - mammographie bilatérale .................................................................................................................................. *2*
  - examen ORL et panendoscopie si nécessaire ..................................................................................................... *1*
  - et orientés en fonction de la clinique (coloscopie, etc.) ................................................................................. *NC*

---

**6. Quels sont les grands principes de votre prise en charge thérapeutique ?** *(18)*

- Prise en charge **multidisciplinaire** : ....................................................................................................... *2*
  - traitement de la dermatomyosite :
    - corticothérapie générale .............................................................................................................................. *3*
    - immunosuppresseurs ..................................................................................................................................... *3*
    - rééducation .................................................................................................................................................... *2*
    - aides à domicile ............................................................................................................................................. *NC*
  - traitement de la néoplasie :
    - bilan d'extension ............................................................................................................................................ *NC*
    - traitement chirurgical après bilan d'opérabilité (EFR, ECG) ........................................................................ *3*
    - **sevrage tabagique (PMZ)** ........................................................................................................................ *3*

- Surveillance ...................................................................................................................................................... *2*

---

**7. Quelles aides humaines allez-vous solliciter pour encadrer le retour au domicile de la patiente ?** *(14)*

- Kinésithérapeute à domicile ......................................................................................................................... *3*

- Ergothérapeute avec adaptation du domicile ............................................................................................ *2*

- Infirmier à domicile ....................................................................................................................................... *3*

- Visite régulière du médecin traitant ............................................................................................................ *2*

- Psychothérapeute ........................................................................................................................................... *2*

- Assistant social pour portage des repas à domicile, télé alarme .............................................................. *2*

 **Conseils du conférencier**

→ *La dermatomyosite est une myosite inflammatoire (avec la polymyosite et la myosite à inclusions), caractérisée par des signes cutanés et musculaires (pas de signes musculaires dans la DM amyopathique).*

→ *Elle est dans 15 à 20 % des cas paranéoplasique, ce qui impose un bilan à la recherche de néoplasie, surtout chez le sujet âgé.*

→ *Attention aux CPK, qui peuvent être abaissés en cas d'amyotrophie importante.*

**>>> Items abordés dans ce dossier**

**N° 116** – Pathologies auto-immunes : aspects épidémiologiques, diagnostiques et principes de traitement.

**N° 157** – Tumeurs du poumon primitives et secondaires.

# Dossier N° 12   Policia

## Énoncé

Vous recevez en consultation une jeune femme de 32 ans, qui consulte pour un problème d'alopécie. Il s'agit d'une patiente sans antécédent particulier, qui ne prend pas de traitement. Elle est mariée et a une petite fille de 3 mois, née sans complication. Elle est assistante de direction et vient de reprendre le travail. Elle a noté cette alopécie depuis 2 mois environ et commence à s'inquiéter.

Elle ne prend aucun traitement en dehors d'une contraception progestative.

Vous commencez à l'examiner et constatez la présence d'une alopécie diffuse, sur cuir chevelu sain.

Le reste de l'examen clinique est parfaitement normal. Elle est en bon état général, pèse 56 kg pour 1 m 67. Elle est discrètement asthénique. Son médecin traitant lui a prescrit une NFS qui est normale.

## Questions

**1.** Quelle est la cause probable de cette alopécie ?

**2.** Elle se demande quelle est l'évolution de cette alopécie ? Que lui-répondez-vous ?

L'évolution est conforme à ce que vous lui aviez dit. Cependant, elle revient vous voir 2 ans plus tard car elle a de nouveau constaté une alopécie.

Cette fois-ci elle présente une alopécie localisée en plaques, sur le vertex et la région occipitale.

**3.** Comment allez-vous compléter le reste de votre examen physique cutané ?

Vous retrouvez des plaques alopéciques arrondies d'environ 4 cm de diamètre, avec un cuir chevelu sous jacent normal, sans squames.

**4.** Quel diagnostic suspectez-vous et quels sont les autres signes cutanés qui ont pu vous orienter ?

**5.** Quels examens réalisez-vous pour confirmer votre diagnostic ?

**6.** La patiente est très gênée par cette alopécie et souhaite un traitement. Que pouvez-vous lui proposer et qu'en attendez-vous ?

Finalement, vous lui prescrivez un traitement par voie générale.

Au bout d'une semaine de traitement, elle vous appelle en urgence car elle a remarqué des lésions papuleuses inflammatoires du visage et du haut du tronc qu'elle n'a jamais présentées auparavant.

Ces lésions ne sont pas prurigineuses.

**7.** Que suspectez-vous ?

**8.** Quel traitement pouvez-vous lui proposer ?

## Première lecture et réflexes

- Femme en âge de procréer.

- Poids et taille : calcul de l'IMC = $P/T^2$.

- Alopécie :
  – cicatricielle ou non cicatricielle ;
  – localisée ou diffuse.

- Examen de tout le tégument et des autres phanères.

## Réponses

**1. Quelle est la cause probable de cette alopécie ?** *(10)*

- *Effluvium* télogène ..................................................................................................................... *5*
- Post-partum ................................................................................................................................. *5*

**2. Elle se demande quelle est l'évolution de cette alopécie ? Que lui-répondez-vous ?** *(15)*

- Évolution favorable .................................................................................................................... *5*
- En quelques mois ....................................................................................................................... *5*
- Spontanément sans traitement ................................................................................................. *5*
- Sans séquelle .............................................................................................................................. *NC*

**3. Comment allez-vous compléter le reste de votre examen physique cutané ?** *(15)*

- **Examen de tout le tégument, et des phanères (PMZ)** .............................................. **3**

- Examen du cuir chevelu :
  – alopécie cicatricielle ou non cicatricielle ......................................................................... *5*
  – aspect des cheveux (cassants) ............................................................................................. *2*
  – test de traction ..................................................................................................................... *2*
  – lampe de Wood ..................................................................................................................... *1*
  – prurit ...................................................................................................................................... *NC*

- Examen du reste du tégument : ................................................................................................ *2*
  – lésion cutanée
  – unguéale
  – zones pileuses

**4. Quel diagnostic suspectez-vous et quels sont les autres signes cutanés qui ont pu vous orienter ?** *(13)*

- Diagnostic suspecté : **pelade** .............................................................................................. *5*

- Autres signes cutanés :
  – aspect des cheveux : cassants, en point d'exclamation ................................................... *3*
  – atteinte des autres zones pileuses (barbe) et atteinte unguéale .................................... *3*
  – association à d'autres maladies auto-immunes : vitiligo ................................................. *2*

**5. Quels examens réalisez-vous pour confirmer votre diagnostic ?** *(10)*

■ Aucun .................................................................................................................................. *5*

■ Diagnostic clinique .......................................................................................................... *5*

**6. La patiente est très gênée par cette alopécie et souhaite un traitement. Que pouvez-vous lui proposer et qu'en attendez-vous ?** *(20)*

■ Traitement ambulatoire ................................................................................................ *NC*

■ Traitements possibles :
– abstention thérapeutique ............................................................................................ *5*
– corticoïdes locaux .......................................................................................................... *5*
– corticothérapie générale si échec .............................................................................. *3*
– aide psychologique ........................................................................................................ *2*
– surveillance dans tous les cas .................................................................................... *2*

■ Évolution attendue :
– repousse dans les mois .............................................................................................. *1*
– lente .................................................................................................................................. *1*
– sans séquelle .................................................................................................................. *NC*
– extension et récidive possibles .................................................................................. *1*

**7. Que suspectez-vous ?** *(10)*

■ **Acné** ................................................................................................................................ *7*
– **réactionnelle** à la corticothérapie générale ...................................................... *3*

**8. Quel traitement pouvez-vous lui proposer ?** *(7)*

■ Traitement ambulatoire ................................................................................................ *NC*

■ Diminution des doses de corticothérapie .............................................................. *4*

■ Traitement local :
– antibiotiques locaux ...................................................................................................... *1*
– rétinoïdes locaux .......................................................................................................... *1*
– peroxyde de benzoyle .................................................................................................. *1*

 **Conseils du conférencier**

➜ *Pelade :*
    – *le diagnostic est clinique ;*
    – *rechercher des signes en faveur d'autres maladies auto-immunes (vitiligo, thyroïdite) ;*
    – *les traitements proposés sont incomplètement efficaces.*

➜ *Il existe d'autres causes à l'effluvium télogène : toute situation de stress, infection, etc.*

## >>> Référence

Recommandations de bonne pratique : *traitement de l'acné par voie locale et générale*. AFSSAPS, 2007.

## >>> Items abordés dans ce dossier

**N° 174** – Prescription et surveillance des anti-inflammatoires stéroïdiens et non stéroïdiens.

**N° 232** – Dermatoses faciales : acné, rosacée et dermatite séborrhéiques.

**N° 288** – Troubles des phanères.

## Énoncé

Vous voyez aux urgences un petit garçon de 3 ans lors d'une garde de décembre. Ses parents l'ont amené car il n'arrive plus à se nourrir. Depuis 2 jours, il se plaint de douleurs lorsqu'il s'alimente, salive beaucoup et est très fatigué. « Aujourd'hui, il n'a quasiment rien pu avaler et a dormi toute l'après-midi », vous signalent les parents.

Il a présenté lors des hivers précédents 2 épisodes de bronchite asthmatiforme et plusieurs épisodes de gastroentérite.

Les constantes prises par l'infirmière vous montrent : une T° à 39,2 °C, une FC à 120/min, une PA à 90/50 mm Hg. Vous trouvez un enfant grognon, aux yeux brillants, qui est réticent à ouvrir la bouche.

## ? Questions

**1.** Comment complétez-vous votre examen clinique ?

Vous constatez à première vue des érosions grisâtres coalescentes avec un pourtour érythémateux et recouvertes d'un enduit blanchâtre sur les gencives.

**2.** Quelles sont vos hypothèses diagnostiques ?

Vous complétez votre examen et constatez : des adénopathies cervicales douloureuses ; des petites croûtes coalescentes sur le menton. Le reste de l'examen cutané est strictement normal.

L'interrogatoire n'a pas retrouvé de prise médicamenteuse. Les croûtes sont apparues sur des petites « cloques ».

**3.** Quel est le diagnostic le plus probable ? Sur quels arguments ?
**4.** Quelle prise en charge préconisez-vous ? Justifiez.

Heureusement, l'évolution est favorable. Trois ans plus tard, à la rentrée scolaire, il revient vous consulter pour une éruption ayant débuté il y a 24 heures, dans un contexte subfébrile à 38,5 °C. Vous constatez un enfant en bon état général, avec un exanthème maculeux rosé circiné des avant-bras et des jambes, qui touche également les joues. Il présente également des arthralgies des mains.

**5.** Quel diagnostic évoquez-vous ?
**6.** Quel traitement prescrivez-vous et que dites-vous à l'enfant et sa mère ?

Encore une fois, l'enfant guérit. Il revient vous consulter 5 ans plus tard. Cette fois-ci, il présente un tableau de lésions symétriques ayant touché le dos des mains, et s'étendant sur les faces palmaires et les avant-bras, ainsi que des érosions buccales. Le tableau évolue depuis 48 heures. Il est fatigué et subfébrile (38 °C).

Il a eu un « bouton de fièvre » une semaine auparavant.

**7.** Quel est le diagnostic le plus probable ?

**8.** Que recherchez-vous à l'examen physique pour confirmer votre diagnostic ?

**9.** En effet, vous retrouvez les lésions typiques dont quelques-unes sont centrées par une bulle. À quoi correspond la bulle ?

**10.** Quelles sont les causes potentielles de ce tableau ?

# Première lecture et réflexes

- Dossier à bien lire en entier. Les deux diagnostics principaux sont reliés.

- Enfant :
  - carnet de santé ;
  - vaccins ;
  - interrogatoire parents.

- Devant tout trouble digestif ou d'oralité aiguë chez l'enfant :
  - poids ;
  - risque de déshydratation.

## Réponses

**1. Comment complétez-vous votre examen clinique ?** *(20)*

■ Interrogatoire avec les parents et examen du carnet de santé : ......................................................................... *2*
- ATCD, allergies, **prises médicamenteuses** et délais
- vaccins réalisés ........................................................................................................................................................ *1*
- derniers poids et taille ............................................................................................................................................ *2*
- ancienneté des troubles
- notion de contage viral
- prise alimentaire .................................................................................................................................................... *2*

■ Examen
- **poids (PMZ)** ......................................................................................................................................................... *3*
- examen endobuccal (érosions) et pharyngé, examen otoscope ........................................................................... *3*
- adénopathies notamment cervicales ................................................................................................................... *1*
- **examen de tout le tégument et muqueuses (œil)** ................................................................................... *2*
- **signes de déshydratation (PMZ)** ................................................................................................................ *3*
- reste : signes fonctionnels digestifs, auscultation cardio-pulmonaire, palpation abdominale, examen neurologique, recherche de syndrome méningé .................................................................................................................................. *1*

*Remarque :* la PA et la FC sont normales chez cet enfant, dans un contexte fébrile.

---

**2. Quelles sont vos hypothèses diagnostiques ?** *(8)*

■ Causes infectieuses :
- primo-infection herpétique buccale (ou **gingivostomatite aiguë herpétique**) ....................................... *2*
- stomatite candidosique ........................................................................................................................................ *1*
- virose type Coxsackie ............................................................................................................................................. *2*

■ Nécrolyse épidermique toxique .......................................................................................................................... *2*

■ Aphtose ................................................................................................................................................................. *1*

### 3. Quel est le diagnostic le plus probable ? Sur quels arguments ? *(10)*

- Primo-infection herpétique buccale (ou gingivostomatite aiguë herpétique) ........................................ *3*
- Arguments :
- terrain (enfant) ................................................................................................................................. *2*
- tableau clinique :
  - signes généraux : fièvre, asthénie ................................................................................................. *1*
  - érosions buccales polycycliques ................................................................................................... *1*
  - dysphagie ...................................................................................................................................... *1*
  - adénopathies cervicales ................................................................................................................ *1*
  - vésicules initiales mentonnières ................................................................................................... *1*

### 4. Quelle prise en charge préconisez-vous ? Justifiez. *(13)*

- Hospitalisation en pédiatrie car alimentation impossible ................................................................ *2*
- Traitement étiologique : antiviral type **aciclovir IV** (car prise *per os* impossible) ...................... *4*

***Remarque :*** *si traitement* per os, *0 à la question.*

- Traitement symptomatique :
- antalgique antipyrétique type paracétamol IV .............................................................................. *2*
- hydratation IV ................................................................................................................................. *2*
- alimentation liquide progressive ................................................................................................... *1*
- éloigner des atopiques .................................................................................................................. *1*
- Surveillance ...................................................................................................................................... *1*

### 5. Quel diagnostic évoquez-vous ? *(5)*

- **Mégalérythème épidémique** ou infection viral à parvovirus B19 ................................................ *5*

### 6. Quel traitement prescrivez-vous et que dites-vous à l'enfant et sa mère ? *(13)*

- Traitement ambulatoire .................................................................................................................... *1*
- Pas de traitement spécifique ............................................................................................................ *2*
- Traitement symptomatique par antalgique antipyrétique type paracétamol *per os* ...................... *2*
- Surveillance ...................................................................................................................................... *1*
- Virose bénigne .................................................................................................................................. *2*
- Contagieuse ...................................................................................................................................... *1*
- Évolution favorable spontanément en une dizaine de jours ............................................................ *3*
- Éviter contact avec femmes enceintes ............................................................................................. *1*

### 7. Quel est le diagnostic le plus probable ? *(5)*

- **Érythème polymorphe** post-herpétique ...................................................................................... *5*

**8. Que recherchez-vous à l'examen physique pour confirmer votre diagnostic ?** *(11)*

■ Examen cutané :
– lésions à type de **cocardes** ................................................................................................................ *3*
– parfois centrées par des vésicobulles ................................................................................................ *1*
– sur les extrémités et faces d'extension des membres ........................................................................ *3*
– atteinte symétrique

■ **Examen de toutes les muqueuses :**
– **érosions** buccales parfois croûteuses ............................................................................................ *2*
– conjonctivite
– érosions génitales

■ Signes fonctionnels : ........................................................................................................................ *2*
– asthénie
– dysphagie
– peu de prurit
– lésions cutanées parfois douloureuses

**9. En effet, vous retrouvez les lésions typiques dont quelques-unes sont centrées par une bulle. À quoi correspond la bulle ?** *(5)*

■ Décollement bulleux lié à la nécrolyse épidermique ........................................................................ *5*

**10. Quelles sont les causes potentielles de ce tableau ?** *(10)*

■ Récurrence herpétique, le plus probable ........................................................................................ *3*

■ Infection à *Mycoplasma pneumoniæ* .............................................................................................. *3*

■ Causes médicamenteuses (AINS, ATB) ............................................................................................ *2*

■ Autres : maladies inflammatoires (MICI, maladies de système), idiopathique .................................. *2*

## Conseils du conférencier

➜ *Dossier large avec questions ouvertes : ne pas se noyer dans les réponses.*

➜ *Bien systématiser les réponses, notamment sur les questions « éléments de l'examen », « diagnostics possibles », « prise en charge ou traitement ».*

➜ *Pas de piège particulier sur les diagnostics.*

➜ *Pour les questions « diagnostics évoqués » : mettre en premier le diagnostic réel.*

➜ *Sur les questions traitements :*
   *– préciser ambulatoire ou hospitalisation. C'est en effet la 1re décision que vous prenez devant le patient ;*
   *– ne pas se risquer à donner les posologies si celles-ci ne sont pas demandées, et si elles ne sont pas au programme.*

## >>> Référence

Conférence de consensus. *Prise en charge de l'herpès cutanéomuqueux chez le sujet immunocompétent (manifestations oculaires exclues).* ANAES, SFD, 2001.

## >>> Items abordés dans ce dossier

**N° 84** – Infections à herpès virus de l'enfant et de l'adulte immunocompétents : herpès cutané et muqueux.

**N° 94** – Maladies éruptives de l'enfant.

**N° 314** – Exanthème.

**N° 343** – Ulcérations ou érosions des muqueuses orales et/ou génitales.

# Malfoutose

## Énoncé

Un homme de 23 ans est amené aux urgences par les pompiers car il a chuté dans la rue. Vous l'interrogez : il a été hospitalisé pour 2 pneumothorax spontanés gauches, a eu 5 entorses de chevilles et 2 entorses de genoux, est myope depuis l'âge de 6 ans et est suivi pour une cyphose dorsale. Il n'a pas de traitement en dehors du paracétamol qui lui a été prescrit par son dentiste il y a une semaine après une pose de couronne.

Vous commencez à examiner ce jeune homme mesurant 1 m 95 pour 65 kg. Il est asthénique, et les constantes prises par l'infirmière retrouvent une T° à 38,5 °C, une PA à 95/55 mm Hg, un pouls à 100/min et une $SpO_2$ à 100 %. Vous constatez à première vue un purpura nécrotique de l'abdomen, des lombes et des membres.

## Questions

**1.** Quels sont les éléments de l'examen clinique qui vous alertent ?

**2.** Quels sont les diagnostics que vous évoquez ?

**3.** Quels sont les éléments-clés de votre examen clinique manquants ?

En effet, vous trouvez, entre autres, un souffle diastolique franc, un purpura conjonctival et le patient vous signale des arthralgies diffuses. Certaines lésions nécrotiques cutanées se sont ulcérées.

**4.** Quel est votre diagnostic suspecté ? Sur quel terrain particulier s'inscrit probablement la pathologie aiguë ?

**5.** Quels signes dermatologiques ont pu vous orienter ?

**6.** Quels examens paracliniques réalisez-vous dans l'immédiat et dans les 24 h ?

**7.** Vous transférez le patient en médecine. Quel traitement instaurez-vous ?

Six minutes après la pose de votre premier traitement, le patient se plaint d'une sensation de malaise, de prurit des paumes des mains. Puis apparaissent une éruption urticarienne, une rhinorrhée, et une toux sèche. Vous prenez les constantes et retrouvez une PA à 75/35 mm Hg et un pouls à 130/min.

Vous n'arrivez pas à joindre l'infirmière.

**8.** Quel est le diagnostic ? Que faites-vous immédiatement ?

Après une semaine d'hospitalisation, alors que vous faites votre visite habituelle, le patient vous évoque des lombalgies intenses qui l'empêchent de dormir, l'infirmière vous signale que le patient n'a pas uriné depuis la veille et qu'il est fébrile à 38 °C. Vous décidez d'examiner votre patient, mais il n'arrive pas à se mettre debout.

**9.** Que suspectez-vous ?

**10.** Votre traitement va permettre au patient de guérir après six semaines d'hospitalisation. À sa sortie, quelles recommandations lui donnez-vous ?

## Première lecture et réflexes

- Poids et taille : calcul de l'IMC = P/T².

- Grande taille.

- Endocardite :
  - porte d'entrée ;
  - hémocultures ;
  - échographie cardiaque.

- Choc anaphylactique :
  - arrêt du médicament ;
  - contre-indication à vie ;
  - carte de contre-indication (risque de PMZ).

## Réponses

**I. Quels sont les éléments de l'examen clinique qui vous alertent ?** *(8)*

- Fièvre .................................................................................................................. **4**
- Caractère nécrotique du purpura ........................................................................ **4**

**2. Quels sont les diagnostics que vous évoquez ?** *(12)*

- **Endocardite infectieuse** ............................................................................ **4**
- **Purpura fulminans** sur méningite bactérienne **(PMZ)** ...................................... **4**
- Purpura rhumatoïde .......................................................................................... **4**

**3. Quels sont les éléments-clés de votre examen clinique manquants ?** *(12)*

- Pour le diagnostic positif :
- recherche syndrome méningé .......................................................................... **3**
- recherche d'un souffle cardiaque ...................................................................... **3**
- troubles digestifs .............................................................................................. **1**
- arthralgies ........................................................................................................ **1**
- porte d'entrée éventuelle .................................................................................. **1**

- Pour les complications :
- signes de choc (marbrures, confusion, diurèse) ................................................ **3**

**4. Quel est votre diagnostic suspecté ? Sur quel terrain particulier s'inscrit probablement la pathologie aiguë ?** *(9)*

- **Endocardite infectieuse** bactérienne aortique sur valve native compliquée d'insuffisance aortique, sur porte d'entrée dentaire .......................................................................... **5**
- Terrain : maladie de Marfan .............................................................................. **4**

### 5. Quels signes dermatologiques ont pu vous orienter ? *(8)*

■ Purpura pétéchial nécrotique ...................................................................................................... *2*

■ Faux panaris d'Osler .................................................................................................................... *2*

■ Hippocratisme digital .................................................................................................................. *2*

■ Placards de Janeway .................................................................................................................... *2*

■ Ces signes sont inconstants ...................................................................................................... *NC*

### 6. Quels examens paracliniques réalisez-vous dans l'immédiat et dans les 24 h ? *(16)*

■ Dans l'immédiat :

– **hémocultures répétées** aérobies et anaérobies systématiques et lors des pics fébriles, avant toute
antibiothérapie. Conservation pour germes à croissance lente ................................................... *3*

– bandelette urinaire ...................................................................................................................... *1*

– bilan biologique : ......................................................................................................................... *2*
  • NFS-plaquettes
  • TP-TCK
  • ionogramme sanguin
  • créatininémie
  • urée
  • lactates
  • CRP

– ionogramme urinaire .................................................................................................................... *1*

– ECG ............................................................................................................................................... *1*

– radiographie thorax ...................................................................................................................... *1*

■ Dans les 24 h :

– **échographie cardiaque transthoracique** à la recherche de végétations valvulaires
et évaluation de la fonction cardiaque ...................................................................................... *3*

– panoramique dentaire .................................................................................................................. *2*

– protéinurie des 24 h ..................................................................................................................... *1*

– facteur rhumatoïde, test au latex et Waaler-Rose, cryoglobulinémie .......................................... *1*

### 7. Vous transférez le patient en médecine. Quel traitement instaurez-vous ? *(11)*

■ Traitement de l'endocardite :

– **antibiothérapie avant résultats des hémocultures** ...................................................... *3*

– pénicilline G IV pendant 4 semaines associée à un aminoside IV (gentamicine) pendant 2 semaines ...................... *2*

– à adapter au germe et à l'antibiogramme ..................................................................................... *NC*

■ **Traitement de la porte d'entrée dentaire (PMZ) :** soins dentaires ................................. *2*

■ Traitement des complications :

– soins locaux des ulcérations cutanées ......................................................................................... *2*

■ Surveillance de l'efficacité du traitement et de la tolérance ......................................................... *2*

**8. Quel est le diagnostic ? Que faites-vous immédiatement ?** *(12)*

- **Choc anaphylactique à la pénicilline** ........................................................................ **5**
- **Urgence thérapeutique vitale (PMZ)** .................................................................. *NC*
- **Arrêt de l'antibiotique (PMZ)** .................................................................................. **3**
- Libération des voies aériennes supérieures ................................................................ *1*
- Injection immédiate d'**adrénaline** IV .......................................................................... *2*
- Remplissage .................................................................................................................... *1*
- Appel du réanimateur .................................................................................................. *NC*

**9. Que suspectez-vous ?** *(5)*

- Spondylodiscite aiguë infectieuse bactérienne sur endocardite aortique compliquée d'un syndrome
  de la queue de cheval .................................................................................................. **5**

**10. Votre traitement va permettre au patient de guérir après six semaines d'hospitalisation. À sa sortie, quelles recommandations lui donnez-vous ?** *(7)*

- Pour la pénicilline :
- **contre-indication à vie (PMZ)** ................................................................................... **3**
- carte d'allergie à la pénicilline à porter en permanence .......................................... *1*
- information du médecin traitant .................................................................................. *NC*

- Pour l'endocardite :
- information du dentiste sur prophylaxie ATB avant soins dentaires (et tout geste en général) ........................... **3**

## Conseils du conférencier

➜ *Dossier classique d'endocardite, diagnostic de Marfan plus complexe à trouver.*

➜ *Éléments classiques du choc anaphylactique à écrire (recommandations, contre-indication).*

➜ *Dans l'endocardite, ne pas oublier de conserver les hémocultures pour les germes à croissance lente.*

### ⟫⟫ Référence

*Prophylaxie de l'endocardite infectieuse.* Recommandations de la SPILF, 2002.

### ⟫⟫ Items abordés dans ce dossier

**N° 80** – Endocardite infectieuse.

**N° 200** – État de choc.

**N° 211** – Œdème de Quincke et anaphylaxie.

**N° 330** – Purpura chez l'enfant et l'adulte.

## Énoncé

Une infirmière de 35 ans consulte car elle présente depuis 6 mois une éruption qui la gêne.

Elle a comme principaux antécédents une acné juvénile, et une sciatique crurale. Elle vous signale qu'elle est stressée par son travail au bloc opératoire et que sa sciatique la gêne pour rester debout toute la journée.

Le début des symptômes remonte à janvier, depuis qu'elle a commencé à travailler après avoir obtenu son diplôme d'IDE. Auparavant, elle travaillait comme secrétaire hospitalière et n'avait jamais eu ce type d'éruption.

Elle se plaint d'une dermatose prurigineuse des mains qui remonte aux avant-bras. Elle ne prend aucun traitement en dehors d'une contraception œstroprogestative et des AINS occasionnellement en cas de céphalées. Elle est mariée, a 2 enfants de 4 et 8 ans en bonne santé.

À l'examen, vous constatez une éruption mal limitée, à bords émiettés, érythématosquameuse très prurigineuse.

## Questions

**1.** Quelle est votre hypothèse diagnostique ?

**2.** Comment complétez-vous votre interrogatoire pour orienter l'étiologie de votre diagnostic ?

Elle vous informe que cela lui arrive aussi à la maison, qu'elle fait très attention aux produits qu'elle manipule et qu'elle prend la précaution d'utiliser des gants chirurgicaux en latex quand elle fait le ménage ou la vaisselle. Les lésions se limitent aux mains, poignets et tiers distal des avant-bras. Elle utilise du parfum, du savon de Marseille, porte un collier, une bague et des boucles d'oreilles en argent. Elle met des dermocorticoïdes régulièrement pour traiter cette éruption.

**3.** Quelle est l'étiologie probable de l'éruption ?

**4.** Que faites-vous pour confirmer votre diagnostic ?

**5.** Quelle est la physiopathologie de l'éruption ?

**6.** Quels sont les stades cliniques de cette éruption ?

**7.** Les examens reviennent positifs. Vous l'adressez au médecin du travail. Qu'est ce qu'une maladie professionnelle ? De quoi sont constitués les tableaux de maladie professionnelle ?

**8.** Quelle est votre prise en charge thérapeutique ?

Elle vous signale que son mari présente également une éruption similaire sur les mains, apparaissant immédiatement après la manipulation de javel diluée, et se limitant aux zones de contact avec la substance. Elle se demande s'il ne s'agit pas aussi d'une « allergie ».

**9.** Que lui répondez-vous ?

## Première lecture et réflexes

- Métier : arrêt de travail, exposition à une maladie professionnelle.

- Femme en âge de procréer.

- Entourage : dépistage si infection.

## Réponses

### 1. Quelle est votre hypothèse diagnostique ? *(10)*

- Eczéma ................................................................................................................................................. **10**

### 2. Comment complétez-vous votre interrogatoire pour orienter l'étiologie de votre diagnostic ? *(10)*

- HDM : **rythmicité** de l'éruption (weekends, vacances) ....................................................... **3**

- Traitements : topiques appliqués ................................................................................................. **1**

- **Habitus** : .......................................................................................................................................... **3**
– contact au travail (gants)
– contact à la maison (cosmétiques, spray, bijoux)

- Caractère de l'éruption : ............................................................................................................. **3**
– vésicules initiales
– lésions à distance

### 3. Quelle est l'étiologie probable de l'éruption ? *(5)*

- Latex des gants .............................................................................................................................. **5**

### 4. Que faites-vous pour confirmer votre diagnostic ? *(10)*

- Organisation de **tests épicutanés (ou patch tests)** ......................................................... **5**
– batterie standard .......................................................................................................................... **2**
– produits personnels ...................................................................................................................... **1**
– corticoïdes locaux ........................................................................................................................ **1**
– gants personnels utilisés .............................................................................................................. **1**

### 5. Quelle est la physiopathologie de l'éruption ? *(13)*

- Hypersensibilité de type 4 ou retardée (à médiation cellulaire) ..................................... **5**

- Phase de sensibilisation : ............................................................................................................. **2**
– réponse innée à l'haptène : activation lymphocytaire T par les cellules présentatrices d'antigène .......... **2**

- Phase de révélation : ..................................................................................................................... **2**
– 24 à 48 h après un nouveau contact avec l'haptène ........................................................... **1**
– réponse inflammatoire par les lymphocytes T effecteurs .................................................... **1**

- Phase de régulation : ..................................................................................................................... **NC**
– résolution par les lymphocytes T régulateurs

### 6. Quels sont les stades cliniques de cette éruption ? *(12)*

- Phase érythémateuse .......................................................................................................................... **3**
- Phase vésiculeuse ................................................................................................................................ **3**
- Phase suintante et croûteuse ............................................................................................................. **3**
- Phase de desquamation ...................................................................................................................... **3**

### 7. Les examens reviennent positifs. Vous l'adressez au médecin du travail. Qu'est ce qu'une maladie professionnelle ? De quoi sont constitués les tableaux de maladie professionnelle ? *(15)*

- Une maladie professionnelle est la conséquence directe de l'exposition habituelle d'un travailleur à une nuisance physique, chimique ou biologique au cours de son activité professionnelle ...................... **5**
- Tableaux :
- – affection ............................................................................................................................................ **2**
- – symptômes ........................................................................................................................................ **2**
- – délai de prise en charge ................................................................................................................. **2**
- – travaux susceptibles de provoquer l'affection (indicative et limitative) ...................................... **2**
- – durée minimale d'exposition ........................................................................................................... **2**

### 8. Quelle est votre prise en charge thérapeutique ? *(15)*

- Traitement ambulatoire ....................................................................................................................... **2**
- **Éviction de l'allergène mis en évidence (PMZ)** ...................................................................... **3**
- Traitement anti-inflammatoire :
- – dermocorticoïdes de forte classe (Diprosone®) sur les mains matin et soir pendant 7 jours ...... **3**
- – puis décroissance progressive ......................................................................................................... **2**
- Traitement local par émollients à volonté ......................................................................................... **3**
- Surveillance ......................................................................................................................................... **2**

### 9. Que lui répondez-vous ? *(10)*

- Diagnostic : **dermite irritative** de contact ou dermite orthoergique ......................................... **5**
- Arguments :
- – produit caustique .............................................................................................................................. *1*
- – éruption limitée aux zones de contact ............................................................................................ **2**
- – délai immédiat .................................................................................................................................. **2**

## Conseils du conférencier

→ *Le produit sensibilisant est le plus souvent un haptène, une molécule non immunogène en elle-même, qui va former un couple haptène-protine. C'est ce couple qui constitue l'allergène.*

→ *La réaction est de type TH1 avec production d'IL-2 et d'interféron gamma.*

→ *Bien faire la différence entre l'eczéma de contact, qui fait appel à des mécanismes immunologiques, et la dermite orthoergique.*

→ *Pas de piège particulier, en dehors des mécanismes de physiopathologie (aborder les points essentiels sans faire de phrases).*

→ *Dossier simple avec diagnostic donné dans la description de l'éruption.*

→ *Ne pas méconnaître les items de maladie professionnelle.*

**N° 109** – Accidents du travail et maladies professionnelles. Définitions.

**N° 113** – Allergies et hypersensibilité chez l'enfant et l'adulte : aspects épidémiologiques, diagnostiques et principes de traitement.

**N° 114** – Allergies cutanéo-muqueuses chez l'enfant et l'adulte.

# La guerre des boutons

## Énoncé

Aux urgences pédiatriques, des parents vous amènent un petit garçon de 8 mois pour une éruption ayant débuté la veille, accompagnée d'un syndrome fébrile. L'éruption a débuté au visage et s'est ensuite étendue au tronc depuis ce jour.

Il n'a pas d'antécédents. Sa sœur de 7 ans, sa mère, enceinte de 12 SA, et son père n'ont présenté aucun symptôme. Il va à la crèche.

À l'examen, vous relevez une T° à 38 °C et une PA à 100/54 mm Hg. L'enfant pleure, ses parents vous signalent qu'il mange bien. Vous constatez un exanthème morbilliforme et quelques adénopathies cervicales. L'examen pharyngé est normal, il n'y a pas de catarrhe.

## Questions

**1.** Qu'est ce qu'une éruption morbilliforme ?

**2.** Quel est le diagnostic le plus probable ?

**3.** Sur quels arguments ?

**4.** Quel est l'agent pathogène incriminé ?

**5.** Que pourriez-vous retrouver si vous faisiez une NFS ?

**6.** Quelle est votre prise en charge thérapeutique ?

**7.** Quelle est votre attitude vis-à-vis de la mère ?

Au cours de la même garde, vous revoyez un enfant de 4 ans que vous aviez déjà vu il y a 3 jours. Ce petit garçon présentait à ce moment un syndrome fébrile à 39 °C qui évoluait depuis 3 jours, un exanthème diffus du tronc et du siège, ainsi qu'un énanthème. Vous l'aviez laissé partir avec une prescription d'antipyrétiques. Malgré cela, il est toujours fébrile, présente une conjonctivite et une chéilite.

**8.** Quel diagnostic suspectez-vous ? Sur quels arguments ? Quels signes supplémentaires pouvez-vous rechercher pour étayer votre diagnostic ?

**9.** Quelle est votre prise en charge thérapeutique ?

## Première lecture et réflexes

- Pédiatrie : carnet de santé, mise à jour des vaccins, éviction de collectivité.

- Suspicion de rubéole :
  - éviction ;
  - recherche des femmes enceintes de l'entourage.

## Réponses

### 1. Qu'est ce qu'une éruption morbilliforme ? *(8)*

■ Exanthème ....................................................................................................................................... *2*

■ Lésion élémentaire : **maculopapule** rouge ................................................................................. *2*
– confluant en plaques .......................................................................................................................... *2*

■ Plaques séparées par intervalles de peau saine ............................................................................ *2*

### 2. Quel est le diagnostic le plus probable ? *(5)*

■ Rubéole ......................................................................................................................................... *5*

### 3. Sur quels arguments ? *(12)*

■ Terrain : avant 12 mois, donc non vacciné ................................................................................. *4*

■ Clinique :
– éruption morbilliforme fugace ........................................................................................................... *2*
– descendante ........................................................................................................................................ *2*
– fièvre peu élevée ................................................................................................................................ *2*

■ Signes négatifs : pas de signes ORL (pour une rougeole) ........................................................ *2*

### 4. Quel est l'agent pathogène incriminé ? *(10)*

■ Primo-infection à virus **Rubivirus** (famille des *Togaviridæ*) ................................................... *10*

### 5. Que pourriez-vous retrouver si vous faisiez une NFS ? *(5)*

■ **Plasmocytose** ............................................................................................................................. *4*
– inconstante ........................................................................................................................................ *1*

■ NFS normale dans la majorité des cas .......................................................................................... *NC*

### 6. Quelle est votre prise en charge thérapeutique ? *(18)*

■ Traitement ambulatoire ..................................................................................................................... *2*

■ Pas de traitement spécifique étiologique ...................................................................................... *3*

■ Traitement symptomatique :
– antipyrétique type paracétamol ....................................................................................................... *5*
– 50 mg/kg/j en 3 ou 4 prises ............................................................................................................ *NC*

■ **Éviction de la crèche (PMZ)** ...................................................................................................... *3*

■ **Éviction des femmes enceintes (PMZ)** ..................................................................................... *3*

■ Surveillance ....................................................................................................................................... *2*

**7. Quelle est votre attitude vis-à-vis de la mère ? (10)**

■ Interrogatoire :
– ATCD de rubéole, vaccination ................................................................................................................. 2
– **résultat de sérologie** (faite pour la grossesse) ......................................................................... 3

■ Si séropositive : pas d'éviction ............................................................................................................ 2

■ Si séronégative :
– éviction ...................................................................................................................................................... 2
– vaccination après l'accouchement .................................................................................................. 1

■ Si sérologie non faite, prescrire, et éviction jusqu'aux résultats ......................................... NC

---

**8. Quel diagnostic suspectez-vous ? Sur quels arguments ? Quels signes supplémentaires pouvez-vous rechercher pour étayer votre diagnostic ? (22)**

■ **Syndrome de Kawasaki :** .................................................................................................................. 5
– **fièvre > 5 jours** malgré les antipyrétiques ................................................................................ 2
– conjonctivite ........................................................................................................................................... 2
– chéilite ....................................................................................................................................................... 2
– exanthème ............................................................................................................................................... 2
– énanthème ............................................................................................................................................... 2
– terrain : garçon < 5 ans ..................................................................................................................... 1

■ Signes à rechercher :
– adénopathies > 1,5 cm ....................................................................................................................... 2
– œdèmes des extrémités (puis desquamation en doigt de gant) ........................................ 2
– langue framboisée ................................................................................................................................ 1
– manifestations non spécifiques : arthralgies, cholécystite alithiasique .......................... 1

---

**9. Quelle est votre prise en charge thérapeutique ? (10)**

■ Hospitalisation en pédiatrie ............................................................................................................... 1

■ Traitement étiologique spécifique :
– immunoglobulines IV .......................................................................................................................... 3
– aspirine à doses anti-inflammatoires ........................................................................................... 3

■ Traitement symptomatique : antipyrétique type paracétamol IV ....................................... 2

■ Surveillance ................................................................................................................................................ 1

## Conseils du conférencier

➜ *Première partie (rubéole) : ne pas oublier les règles d'éviction (risque de PMZ).*

➜ *Deuxième partie (Kawasaki) : pathologie plus rare mais classique avec les complications cardiovasculaires.*

>>> **Items abordés dans ce dossier**

**N° 94** – Maladies éruptives de l'enfant.

**N° 314** – Exanthème érythrodermie.

## Énoncé

Une maman vous amène son fils de 8 ans pour un prurit en plein mois de novembre. Il se plaint depuis 4 jours d'un prurit insomniant du cuir chevelu.

Il n'a pas d'antécédent en dehors d'une allergie à la pénicilline, pas de fièvre. Ils ont entendu une maman de l'école mentionner qu'un élève de la classe présentait aussi ce type de symptômes. Cependant, la jeune sœur du patient, âgée de 4 ans, n'a pas de symptômes.

Vous commencez à examiner l'enfant : il s'agit d'un garçon en bon état général, pesant 22 kg pour 1 m 30. Il vous montre les zones de prurit, qui se concentrent essentiellement en régions rétro-auriculaires et nucale.

## Questions

**1.** Quel diagnostic évoquez-vous dès l'interrogatoire ? Quel est l'agent en cause ?

**2.** Sur quels arguments ?

**3.** Quels éléments cliniques vous conforteraient dans votre hypothèse diagnostique ?

**4.** Quel traitement instituez-vous en 1re intention ?

La maman vous signale qu'il a en plus des lésions qui suintent et démangent sur la peau, dans la région cervicale postérieure. Vous constatez la présence de lésions érythémateuses suintantes de la nuque.

**5.** Quelle est l'origine de ces symptômes selon toute vraisemblance ?

Vous le revoyez deux semaines plus tard pour un contrôle. Cette fois-ci, la maman est inquiète car il se gratte toujours autant la tête. De plus, il est fébrile à 38,5 °C et fatigué. Les lésions du cou ont augmenté et forment à présent des croûtes jaunâtres.

**6.** Quelles hypothèses pouvez-vous formuler pour expliquer la persistance du prurit ?

**7.** Quel est votre diagnostic quant à l'éruption cervicale ? Sur quels arguments ?

**8.** Comment traitez-vous cette éruption ?

## Première lecture et réflexes

- Pédiatrie : carnet de santé et courbes de croissance, vaccins, fratrie, éviction de collectivité.

- Notion de contage = pathologie infectieuse probable.

- Pédiculose = sujets contact.

- Bien noter l'allergie à la pénicilline.

## Réponses

**1. Quel diagnostic évoquez-vous dès l'interrogatoire ? Quel est l'agent en cause ?** *(10)*

■ **Pédiculose du cuir chevelu** ................................................................................................................. *5*

■ Parasite *Pediculus capitis* ....................................................................................................................... *5*

**2. Sur quels arguments ?** *(10)*

■ Clinique :
– prurit du cuir chevelu ........................................................................................................................ *3*
– régions nuque et rétro-auriculaires .................................................................................................. *3*

■ Terrain :
– enfant d'âge scolaire ......................................................................................................................... *2*
– saison ................................................................................................................................................. *2*

■ Argument de fréquence ......................................................................................................................... *NC*

**3. Quels éléments cliniques vous conforteraient dans votre hypothèse diagnostique ? (10)**

■ Examen du cuir chevelu à l'œil nu et au peigne fin ........................................................................... *5*

■ Recherche :
– poux vivants ....................................................................................................................................... *3*
– lentes .................................................................................................................................................. *2*

**4. Quel traitement instituez-vous en 1ʳᵉ intention ?** *(15)*

■ Traitement ambulatoire ........................................................................................................................ *NC*

■ Traitement spécifique local :
– malathion en shampooing .................................................................................................................. *5*
– peignage ............................................................................................................................................. *2*

■ Traitement du linge (bonnet, écharpe) ................................................................................................ *5*

■ **Prévenir l'école (PMZ)** ...................................................................................................................... *1*

■ **Traitement concomitant des proches si présence de poux (PMZ)** ............................................ *2*

■ Surveillance ........................................................................................................................................... *NC*

**5. Quelle est l'origine de ces symptômes selon toute vraisemblance ?** *(10)*

■ **Eczématisation** .................................................................................................................................. *10*

### 6. Quelles hypothèses pouvez-vous formuler pour expliquer la persistance du prurit ? *(12)*

- ■ Traitement inefficace : ........................................................................................................................ *2*
- – mauvaise observance, traitement mal conduit ................................................................................ *2*
- – résistance ......................................................................................................................................... *2*
- ■ Traitement efficace : .......................................................................................................................... *2*
- – réinfestation ..................................................................................................................................... *2*
- – prurit d'irritation ............................................................................................................................. *2*

### 7. Quel est votre diagnostic quant à l'éruption cervicale ? Sur quels arguments ? *(16)*

- ■ **Impétiginisation** secondaire d'un eczéma ..................................................................................... **10**
- ■ Dermatose initiale : eczéma ................................................................................................................ *2*
- ■ Clinique :
- – lésions en croûtes mélicériques ........................................................................................................ *2*
- – syndrome fébrile ................................................................................................................................ *2*

### 8. Comment traitez-vous cette éruption ? *(17)*

- ■ Traitement ambulatoire ...................................................................................................................... *NC*
- ■ **Éviction sœur et école (PMZ)** ....................................................................................................... **3**
- ■ Traitement spécifique :
- – antibiothérapie *per os* active sur le streptocoque ......................................................................... **5**
- – famille macrolides (josamycine pendant 10 jours) ........................................................................... **3**

***Remarque :*** *0 à la question si prescription de pénicilline.*

- ■ Traitement symptomatique :
- – antipyrétique type paracétamol *per os* ........................................................................................... **3**
- – désinfection locale des lésions ......................................................................................................... **3**
- ■ Surveillance ....................................................................................................................................... *NC*

## Conseils du conférencier

➜ *Dossier monothématique simple sur la pédiculose.*

➜ *Le traitement local pédiculicide est le traitement de référence. Le traitement des sujets contact est indispensable pour éviter tout risque de contagion.*

➜ *L'éviction scolaire n'est pas obligatoire si l'enfant est traité.*

### ›› Items abordés dans ce dossier

**N° 79** – Ectoparasitoses cutanées. Gale et pédiculose.

**N° 87** – Infections cutanées bactériennes et mycosiques.

**N° 329** – Prurit (avec le traitement).

# Dehli de faciès

## Énoncé

Une jeune femme de 55 ans consulte aux urgences pour une éruption cutanée. Elle a comme principaux antécédents un diabète traité par metformine depuis 1 an ainsi qu'une épilepsie traitée par lévétiracétam (Keppra®) depuis 10 ans. Elle est revenue d'Inde il y a 10 jours. Elle y a passé deux mois en vacances, en zone rurale.

Avant les vacances, elle a consulté son neurologue qui a augmenté les doses de son traitement antiépileptique. Elle a également souffert d'une première infection urinaire basse avant son départ en Inde, traitée par cotrimoxazole (Bactrim®) en monodose. Depuis son retour, elle est retournée voir son médecin pour un « bilan général ». Celui-ci a découvert de manière fortuite une hyperuricémie et a introduit un traitement par allopurinol depuis 10 jours.

Elle se plaint depuis 72 heures d'un syndrome fébrile (38,8 °C) et de douleurs oculaires. Depuis hier, elle présente une dysphagie, des brûlures vulvaires et un prurit cutané diffus. Ce matin, elle s'est réveillée en constatant une éruption en confettis du visage, de tout le tronc et de la racine des membres, ainsi que quelques bulles du haut du dos. Elle est très fatiguée mais a quand même pu prendre ses médicaments ce matin.

## Questions

**Questions**

1. Quelles sont les deux classes diagnostiques que vous évoquez d'emblée ?
2. À l'examen, vous recherchez un signe de Nikolsky et celui-ci est positif. Comment recherchez-vous ce signe ?
3. Quelles sont les pathologies où l'on peut retrouver un signe de Nikolsky ?
4. Comment complétez-vous votre examen clinique dermatologique ?
5. Quel est le diagnostic le plus probable ?
6. Sur quels arguments ?
7. Vous décidez de réaliser un examen histologique cutané avec immunofluorescence directe. Que vous attendez-vous à voir ?
8. Quelles complications à court terme redoutez-vous ?
9. Quelles sont les grandes lignes de votre prise en charge thérapeutique immédiate ?
10. Que pensez-vous de la prescription initiale d'allopurinol ?

## Première lecture et réflexes

- Fièvre au retour d'Inde :
  – paludisme, typhoïde, MST, hépatite ;
  – bilan infectieux et hémocultes.

- Éruption + médicaments = toxidermie, arrêt ?

- Dossier monothématique sans difficulté.

- Noter chaque prise médicamenteuse avec délai (flèche chronologique).

- Devant diagnostic de Lyell : arrêt immédiat médicaments, urgence.

- Parmi les risques immédiats, ne pas oublier le décès.

## Réponses

**1. Quelles sont les deux classes diagnostiques que vous évoquez d'emblée ?** *(4)*

■ Infectieux : virose ............................................................................................................................ *2*

■ Toxidermie ..................................................................................................................................... *2*

**2. À l'examen, vous recherchez un signe de Nikolsky et celui-ci est positif. Comment recherchez-vous ce signe ?** *(6)*

■ Pression de la peau avec le pouce : ......................................................................................................... *3*
– recherche d'un décollement bulleux ........................................................................................................ *3*

**3. Quelles sont les pathologies où l'on peut retrouver un signe de Nikolsky ?** *(15)*

■ Toxidermie de type nécrolyse épidermique toxique (NET) ............................................................................ *5*

■ Pemphigus ...................................................................................................................................... *5*

■ Épidermolyse bulleuse ........................................................................................................................ *5*

**4. Comment complétez-vous votre examen clinique dermatologique ?** *(17)*

■ Interrogatoire : **prises médicamenteuses et date de dernière prise (PMZ)** ............................................ *5*

■ Examen physique :
– constantes (PA, FC, diurèse, T°, saturation) ............................................................................................ *2*
– **examen de tout le tégument et évaluation de la surface atteinte** ............................................................ *3*
– **examen de toutes les muqueuses** (œil, nez, oreille, anus, génital, oropharynx) ..................................... *3*
– auscultation pulmonaire ...................................................................................................................... *2*
– reste de l'examen : adénopathies, hépatosplénomégalie ................................................................................ *1*

■ Retentissement : prise alimentaire, signes de déshydratation ......................................................................... *1*

**5. Quel est le diagnostic le plus probable ?** *(10)*

■ Toxidermie de type **nécrolyse épidermique toxique** (NET) ..................................................................... *5*
– secondaire à la prise d'allopurinol ......................................................................................................... *5*

### 6. Sur quels arguments ? *(14)*

- NET :
- – présentation aiguë ..................................................................................................................... *1*
- – éruption cutanée en confettis du visage et haut du tronc ................................................. *2*
- – Nikolsky positif et bulles .......................................................................................................... *2*
- – atteinte muqueuses (au moins deux) ...................................................................................... *3*

- Allopurinol :
- – imputabilité intrinsèque : délai compatible entre 7 et 21 jours .......................................... *3*
- – imputabilité extrinsèque ........................................................................................................... *2*
- – pas d'autres prises médicamenteuses compatibles en terme de délai ............................. *1*

### 7. Vous décidez de réaliser un examen histologique cutané avec immunofluorescence directe. Que vous attendez-vous à voir ? *(5)*

- **Nécrose épidermique** ......................................................................................................... *2*
- Parfois bulle sous-épidermique avec œdème dermique et infiltrat lymphohistriocytaire périvasculaire ................. *NC*
- IF négative ................................................................................................................................... *2*
- L'absence de ces signes n'élimine pas le diagnostic ............................................................. *1*

### 8. Quelles complications à court terme redoutez-vous ? *(10)*

- Extension de l'éruption et du décollement .......................................................................... *2*
- Atteinte respiratoire ................................................................................................................... *2*
- Dysfonctionnement thermique ................................................................................................. *1*
- Déshydratation ........................................................................................................................... *2*
- Complications infectieuses ........................................................................................................ *2*
- Décès ........................................................................................................................................... *1*

### 9. Quelles sont les grandes lignes de votre prise en charge thérapeutique immédiate ? *(14)*

- Hospitalisation ............................................................................................................................. *2*
- **Arrêt immédiat de l'allopurinol (PMZ) et contre-indication à vie :** ..................... *3*
- – déclaration à la pharmacovigilance ....................................................................................... *NC*
- Poursuite du lévétiracétam (Keppra®) car très vraisemblablement non en cause ............ *1*
- Traitement symptomatique :
- – **hydratation** IV .................................................................................................................... *2*
- – **antalgiques et antypyrétiques** de type paracétamol ................................................... *2*
- – alimentation entérale ............................................................................................................... *NC*
- – soins cutanés et des muqueuses ............................................................................................ *2*
- – chauffage ................................................................................................................................... *NC*
- Pose sondes nasogastrique et urinaire (car atteinte oropharyngée et génitale) ................ *NC*
- **Surveillance clinique rapprochée (PMZ)** : constantes et diurèse, surface cutanée atteinte, atteinte muqueuse ..................................................................................................................... *2*

**10. Que pensez-vous de la prescription initiale d'allopurinol ?** *(5)*

■ Inadéquate ........................................................................................................................................................ *1*

■ Potentiellement dangereuse ....................................................................................................................... *2*

■ Pas de prescription devant une hyperuricémie non symptomatique ...................................... *2*

 **Conseils du conférencier**

➔ *La NET représente une urgence vitale. On y retrouve le décollement cutané avec l'atteinte d'au mois deux muqueuses, d'où l'importance d'un examen cutané et muqueux exhaustif (examens ORL et ophtalmologique).*

➔ *Ne pas oublier la déclaration à la pharmacovigilance.*

## >>> Items abordés dans ce dossier

**N° 181** – Iatrogénie. Diagnostic et prévention.

**N° 314** – Exanthème, érythrodermie.

# Sacré papi !

## Énoncé

Vous faites la visite dans un service de gériatrie de votre hôpital. Votre premier patient est un homme de 85 ans, hospitalisé suite à une chute à domicile, chez qui une maladie de Parkinson a été diagnostiquée. Il est hospitalisé depuis une semaine. Vous le trouvez allongé dans son lit. Il se plaint de douleurs sacrées. Lorsque vous l'examinez, vous constatez une perte de substance superficielle sacrée d'environ 3 cm de diamètre à pourtour érythémateux.

Il présente le même type de lésion sur les talons.

## Questions

1. Quel est votre diagnostic concernant ces lésions ?

2. À quoi sont dues ces lésions ?

3. Quel traitement local pouvez-vous lui proposer ?

4. Quelles sont les mesures que vous y associez ?

5. Quelles sont les potentielles complications de ces lésions ?

6. Votre collègue a fait un prélèvement local de la plaie et retrouve un staphylocoque doré résistant à la méticilline. Que faites-vous ?

Les lésions finissent par s'améliorer. L'infirmière vous signale un matin que le patient présente des lésions en plaques, finement squameuses, de la glabelle et des ailes du nez, ainsi que du cuir chevelu.

7. Quel est votre diagnostic ?

8. Quel traitement allez-vous instituer ?

## Première lecture et réflexes

- Gériatrie :
- polypathologie ;
- polymédication ;
- pathologies en cascade ;
- décubitus ;
- règle du 1 + 2 + 3.

- Staphylocoque doré résistant à la méticilline (SDMR) = isolement de contact.

# Réponses

**1. Quel est votre diagnostic concernant ces lésions ?** *(10)*

■ **Escarres stade II** du sacrum et des talons ........................................................................................ *10*

**2. À quoi sont dues ces lésions ?** *(10)*

■ Hyperpression prolongée ........................................................................................ *3*

■ Atteinte de la microcirculation ........................................................................................ *2*

■ Ischémie des tissus ........................................................................................ *5*

**3. Quel traitement local pouvez-vous lui proposer ?** *(13)*

■ Traitement quotidien ........................................................................................ *NC*

■ Nettoyage au sérum physiologique ........................................................................................ *4*

■ Détersion fibrine douce, anesthésiques locaux (lidocaïne locale) ........................................................................................ *4*

■ Pansement de type hydrocolloïde ........................................................................................ *4*

■ Surveillance quotidienne ........................................................................................ *1*

**4. Quelles sont les mesures que vous y associez ?** *(15)*

■ Traitement symptomatique : ........................................................................................ *2*
- antalgiques systémiques niveau 1 ........................................................................................ *3*

■ **Mesures préventives :** ........................................................................................ *3*
- réduction des appuis : mobilisation toutes les 4 heures, verticalisation, matelas adapté ........................................................................................ *5*
- réduction de la macération ........................................................................................ *2*

**Remarque :** *ne pas oublier les mesures préventives dans le traitement des escarres, ainsi que l'antalgie. Chez les sujets âgés, le mauvais contrôle des escarres peut entraîner ou aggraver un syndrome de glissement.*

**5. Quelles sont les potentielles complications de ces lésions ?** *(20)*

- À court terme :
– complications infectieuses ........................................................................................................................ *5*

- À moyen terme :
– troubles psychiques ................................................................................................................................. *1*
– complications iatrogènes ......................................................................................................................... *2*
– décompensation de tares et syndrome de glissement .......................................................................... *5*

- À long terme :
– perte d'autonomie ................................................................................................................................... *5*
– complications orthopédiques .................................................................................................................. *2*

---

**6. Que faites-vous ?** *(12)*

- **Pas de traitement antibiotique** ......................................................................................................... *5*

- Si pas de signes cliniques en faveur d'une infection (fièvre) : ............................................................... *2*
– colonisation bactérienne d'une plaie normale ...................................................................................... *NC*
- **isolement** de contact (bactérie multirésistante) ................................................................................ *5*

**Remarque :** *la colonisation cutanée à SDMR n'est pas une indication à traiter le germe. Celui-ci ne doit être traité qu'en cas de signes cliniques infectieux (généraux, régionaux et locaux).*

---

**7. Quel est votre diagnostic ?** *(10)*

- Dermite séborrhéique du visage et du cuir chevelu ............................................................................. *10*

**Remarque :** *la dermite séborrhéique est souvent présente chez les patients souffrant de Parkinson.*

---

**8. Quel traitement allez-vous instituer pour cette dermatose ?** *(10)*

- Cuir chevelu : shampoing à la ciclopiroxolamine (Sébiprox®), 2 applications par semaine ................. *5*

- Visage : antifungique type kétoconazole, 1 application par jour jusqu'à guérison .............................. *5*

# Conseils du conférencier

→ *Situation fréquente (malheureusement), à savoir parfaitement gérer et anticiper face aux populations à risque.*

→ *L'escarre correspond à une nécrose ischémique des tissus, due à l'immobilité. Les troubles sensitifs, ainsi que la dénutrition, l'amyotrophie, l'incontinence et les infections favorisent les escarres.*

→ *Il existe des échelles (comme l'échelle de Norton) évaluant les facteurs de risque d'escarres. Les mesures de prévention doivent être envisagées dès que le décubitus se prolonge.*

## ⟩⟩⟩ Référence

Conférence de consensus. *Prévention et traitement des escarres de l'adulte et du sujet âgé.* Hôpital européen Georges Pompidou, 15 et 16 novembre 2001, Paris.

## ⟩⟩⟩ Items abordés dans ce dossier

**N° 50** – Complications de l'immobilité et du décubitus. Prévention et prise en charge.

**N° 232** – Dermatoses faciales. Acné, rosacée et dermatite séborrhéique.

# Ti-punch doudou

## Énoncé

Vous êtes appelé en néphrologie pour réaliser une évaluation dermatologique d'un patient qui doit être greffé du rein pour une insuffisance rénale chronique liée à une polykystose rénale.

Il s'agit d'un homme de 58 ans, agriculteur, qui vit habituellement à la Réunion. Il est tabagique (fume 5 cigarettes par jour depuis 20 ans). Il consomme une demi-bouteille de vin par jour et un apéritif le soir. Il est marié et a trois enfants en bonne santé.

Il est suivi pour un diabète non insulinodépendant et une hypertension artérielle traitée par inhibiteurs calciques.

Il est dialysé sur une fistule artério-veineuse du membre supérieur trois fois par semaine.

 ## Questions

**1.** Pourquoi votre collègue demande-t-il à ce que vous voyiez ce patient ?

**2.** Vous le voyez dans sa chambre. Vous notez sur votre observation que le patient présente un phototype II. À quoi cela correspond-il ?

Vous commencez à l'examiner. Vous retrouvez une lésion labiale supérieure bourgeonnante, ulcérée et indolore mesurant 0,5 par 1,5 cm. Le patient précise que cette lésion est apparue il y a six mois, et qu'elle saigne de temps en temps. Il n'a pas noté son évolution.

**3.** Comment complétez-vous votre examen physique ?

**4.** Quel diagnostic suspectez-vous ?

**5.** Quels facteurs de risque de cette pathologie le patient présente-t-il ?

**6.** Vous avez palpé une adénopathie de 1,5 cm sous-mentonnière. Vous décidez, avec votre collègue, de prescrire des examens complémentaires à ce patient. Lesquels ?

Votre diagnostic se confirme. Le patient subit finalement une intervention chirurgicale suivie d'une radiothérapie.

Vous le revoyez six mois plus tard pour le suivi. Il est toujours dialysé trois fois par semaine. Aucune récidive n'a été notée. Cependant, le patient a noté que sa peau « a changé » en région cervicale. En effet, vous notez que la peau est atrophiée, parsemée de télangiectasies, voire dyschromique par endroits.

**7.** Quel est votre hypothèse diagnostique ?

**8.** Quels sont les risques évolutifs de cette entité ?

# Première lecture et réflexes

- Phototype clair + exposition solaire (Réunion) = risque de tumeur cutanée.

- Bilan paraclinique = diagnostic, extension (complications), préthérapeutique.

- Tumeur cutanéo-muqueuse = examen tout tégument, muqueuses et phanères.

## Réponses

**1. Pourquoi votre collègue demande-t-il à ce que vous voyiez ce patient ?** *(10)*

- Bilan dermatologique à la **recherche de tumeurs cutanées** ....................................... 5
- Greffe d'organe implique immunosuppresseurs dans les suites à vie, favorisant l'apparition et le développement de tumeur .............................................................................................................................................. 3
- Découverte d'une tumeur constitue une contre-indication à la greffe ................................. 2

**2. Vous le voyez dans sa chambre. Vous notez sur votre observation que le patient présente un phototype II. À quoi cela correspond-il ?** *(8)*

- Sujet blond ................................................................................................................................ 2
- Peau claire ................................................................................................................................ 2
- Yeux clairs ................................................................................................................................ 2
- Difficultés à bronzer ............................................................................................................... 2

**3. Comment complétez-vous votre examen physique ?** *(18)*

- **Examen de tout le tégument et des muqueuses (PMZ)** ................................... 5
- Palpation des aires ganglionnaires, notamment cervicales ....................................................... 5
- Examen ORL : inspection buccale et pharyngée ....................................................................... 5
- Reste de l'examen : auscultation cardio-pulmonaire, examen neurologique, palpation abdominale ................ 3

**4. Quel diagnostic suspectez-vous ?** *(10)*

- Carcinome épidermoïde labial supérieur ...................................................................................... 10

**5. Quels facteurs de risque de cette pathologie le patient présente-t-il ?** *(10)*

- Phototype clair ........................................................................................................................ 2
- Exposition solaire intense ....................................................................................................... 4
- Exogénose ................................................................................................................................ 2
- Tabagisme ................................................................................................................................ 2
- Immunodépression possible par insuffisance rénale chronique sévère ................................. *NC*

## 6. Lesquels ? *(22)*

- Bilan diagnostique : **analyse histologique d'une biopsie de la lésion (PMZ)** ......................................... 5
- Bilan d'extension :
– **panendoscopie** des voies aéro-digestives supérieures ........................................................ 5
– panoramique dentaire ................................................................................................................. 2
– échographie ganglionnaire cervicale ....................................................................................... 2
– scanner cervical sans injection (insuffisance rénale) ............................................................... 2
– radiographie thoracique ............................................................................................................ 2
– échographie abdominale ........................................................................................................... 2
- Bilan d'opérabilité : ECG, EFR ...................................................................................................... 2
- Bilan pré-opératoire ..................................................................................................................... *NC*

## 7. Quel est votre hypothèse diagnostique ? *(10)*

- **Radiodermite chronique cervicale avec radiodystrophie** ...................................... *10*

***Remarque :*** *complications de la radiothérapie :*
– la radiodermite chronique est une complication à moyen et long terme de la radiothérapie, liée à une atteinte des tissues à renouvellement lent. Elle s'aggrave avec le temps et sa gravité dépend de la dose totale de rayonnements reçus ;
– la radiodermite aiguë survient précocement, elle est liée à une atteinte des tissus à renouvellement cellulaire rapide et peut aller jusqu'à la nécrose.

## 8. Quels sont les risques évolutifs de cette entité ? *(12)*

- Aggravation progressive ............................................................................................................. *3*
- Radionécrose .............................................................................................................................. *3*
- Ulcération ................................................................................................................................... *3*
- Cancérisation .............................................................................................................................. *3*

 **Conseils du conférencier**

→ *Sujet spécialisé mais il faut bien connaître la spécificité du suivi des greffés rénaux. Ne pas méconnaître et surtout anticiper les risques à long terme liés aux immunosuppresseurs et à la fragilité du malade : infections, tumeurs malignes (notamment cutanées), complications cardio-vasculaires et métaboliques.*

→ *Le carcinome épidermoïde apparaît plus fréquemment chez l'homme de plus de 60 ans. Il peut atteindre les muqueuses et se développe souvent sur une lésion précancéreuse.*

→ *Histologiquement, il se définit par une prolifération de cellules de grande taille, avec atypies cytonucléaires, organisées en lobules, avec une différenciation kératinisante sous forme de globes cornés.*

→ *Ici, la localisation muqueuse, la taille de la liaison et le terrain immunodéprimé sont des facteurs de mauvais pronostic.*

## >>> Items abordés dans ce dossier

**N° 141** – Traitement des cancers : chirurgie, radiothérapie, chimiothérapie, hormonothérapie. La décision thérapeutique multidisciplinaire et l'information du malade.

**N° 149** – Tumeurs cutanées, épithéliales et mélaniques.

Vous voyez pour la première fois en consultation une patiente de 35 ans pour un phénomène de Raynaud. Ces troubles sont apparus il y a 6 mois, de manière brutale. La patiente est d'origine caucasienne, elle vit en région parisienne, n'a pas d'antécédent particulier en dehors d'un syndrome sec oculaire ancien. Ses traitements se limitent à une contraception œstroprogestative et à la prise occasionnelle de benzodiazépines. Elle travaille comme caissière dans un magasin de surgelés. Ces troubles qui l'amènent à consulter sont asymétriques, à prédominance droite, qui est son côté dominant. Elle est gênée dès que la température descend sous les 10 °C. Elle mesure 1 m 70 pour 52 kg.

Lors de votre examen clinique, devant le caractère asymétrique des troubles, vous décidez de réaliser quelques manœuvres.

## Questions

**1.** Quelles sont-elles ?

Votre examen ne retrouve pas de particularité en dehors de nombreuses télangiectasies des doigts et du visage, surtout en région péribuccale.

**2.** À quoi correspondent les télangiectasies ?

**3.** Quelle est votre hypothèse diagnostique ? Quels autres signes cliniques recherchez-vous pour étayer votre diagnostic ?

**4.** Quels examens prescrivez-vous ?

En attendant de la revoir avec l'ensemble des examens, vous décidez de lui prescrire un traitement symptomatique.

**5.** Que lui prescrivez-vous ? Pourquoi ? Quels sont les effets secondaires dont vous devez la prévenir ?

Après quelques mois de traitement, elle apparaît bien soulagée dans sa vie quotidienne, sauf à son travail. Malgré les précautions prises, la manipulation des produits surgelés reste difficile.

**6.** Quelle démarche pouvez-vous lui proposer vis-à-vis de son travail ?

# Première lecture et réflexes

- Femme en âge de procréer.

- Poids et taille : calcul de l'IMC = $P/T^2$.

- Emploi : arrêt de travail, adaptation du poste…

- Phénomène de Raynaud = mesures hygiénodiététiques de protection contre le froid.

- Apparition brutale + Raynaud asymétrique = penser à une cause secondaire.

- Suspicion de connectivité : attention au choix de contraception.

## Réponses

### 1. Quelles sont-elles ? *(15)*

■ Test d'Allen à la recherche d'une ischémie des arcades palmaires ............................................................. **5**

■ Manœuvre d'Adson à la recherche d'un syndrome du défilé scalénique ...................................................... **5**

■ Manœuvre de Wright à la recherche d'une pince costo-claviculaire ........................................................... **5**

***Remarque :*** *la manœuvre la plus utilisée est le test d'Allen, mais les deux autres sont à connaître.*

### 2. À quoi correspondent les télangiectasies ? *(17)*

■ Lésions maculaires rouges ....................................................................................................................... **5**
– s'effaçant à la vitropression ...................................................................................................................... **5**

■ Dilatation des vaisseaux dermiques superficiels ....................................................................................... **5**
– de quelques millimètres ........................................................................................................................... **2**

### 3. Quelle est votre hypothèse diagnostique ? Quels autres signes cliniques recherchez-vous pour étayer votre diagnostic ? *(20)*

■ **CREST syndrome** ................................................................................................................................ **10**

■ Signes :
– calcinose sous-cutanée ............................................................................................................................. **3**
– dysphagie ................................................................................................................................................. **3**
– sclérodermie cutanée ................................................................................................................................ **3**
– signes inconstants, leur absence n'élimine pas le diagnostic ...................................................................... **1**

### 4. Quels examens prescrivez-vous ? *(22)*

■ NFS plaquettes ........................................................................................................................................ **3**

■ VS, CRP ................................................................................................................................................ **NC**

■ Electrophorèse des protides sériques ....................................................................................................... **2**

■ Anticorps antinucléaires .......................................................................................................................... **3**

■ Anticorps anticentromères, anti-DNA natif, anti-Sm, anti-nucléosome .................................................... **3**

■ Antinucléaires solubles ............................................................................................................................. **1**

- Anti-CCP, facteur rhumatoïde ..................................................................................................... *NC*
- Cryoglobulinémie ................................................................................................................................ *2*
- Bêta HCG avant radiographie thorax ................................................................................... *NC*
- Radiographie thorax ......................................................................................................................... *3*
- Capillaroscopie ..................................................................................................................................... *3*
- Radiographie des mains ................................................................................................................. *2*

---

**5. Que lui prescrivez-vous ? Pourquoi ? Quels sont les effets secondaires dont vous devez la prévenir ?** *(18)*
- **Inhibiteurs calciques** ......................................................................................................... *5*
- Propriétés vasodilatatrices ......................................................................................................... *5*
- Rapport bénéfice/risque en faveur ...................................................................................... *NC*
- Effets secondaires :
  - hypotension ....................................................................................................................................... *2*
  - malaise ................................................................................................................................................... *1*
  - céphalées ............................................................................................................................................ *1*
  - flushes ................................................................................................................................................... *1*
- Recommandations : **protection des mains au froid (gants) (PMZ)** ...................... *3*

---

**6. Quelle démarche pouvez-vous lui proposer vis-à-vis de son travail ?** *(8)*
- Orientation vers le médecin du travail ........................................................................... *5*
- Évaluation du poste de travail ............................................................................................. *2*
- Pour reclassement professionnel éventuel ................................................................. *1*

 **Conseils du conférencier**

→ *Dossier classique de phénomène de Raynaud avec sclérodermie systémique cutanée limitée (ancien CREST).*

→ *Tous les critères ne sont pas toujours réunis en faveur du « CREST ». Ici, le diagnostic est très probable avec une suspicion de Raynaud secondaire, associé à des télangiectasies.*

→ *Les inhibiteurs calciques associés aux règles d'hygiène sont le plus souvent suffisants pour contrôler les symptômes. Penser cependant au reclassement professionnel dans ce contexte.*

**⟫⟫⟫ Items abordés dans ce dossier**

**N° 108** – Environnement professionnel et santé. Prévention des risques professionnels. Organisation de la médecine du travail.

**N° 116** – Pathologies auto-immunes : aspects épidémiologiques, diagnostiques et principes de traitement.

**N° 327** – Phénomène de Raynaud.

# Mon œil !

## Énoncé

Vous voyez en avis un homme de 40 ans pour « un problème dans l'œil droit ».

Il a comme antécédents une HTA sous bisoprolol (Détensiel®), un asthme modéré à sévère sous salbutamol (Ventoline®) et une artériopathie des membres inférieurs. Il est suivi pour une maladie de Crohn traitée par infliximab. Il n'a pas présenté de poussée depuis plus d'un an.

Il est actuellement en hôpital de jour pour recevoir sa perfusion d'infliximab. Il présente depuis hier des douleurs de l'œil droit, associées à un érythème conjonctival. L'autre œil est asymptomatique. Il pense qu'il a reçu une brindille dans l'œil car il a taillé ses haies tout le weekend. Il a appliqué un collyre ophtalmique que sa femme utilise, de la tobramycine (Tobrex®).

Il est en bon état général, vous relevez ses constantes : une T° à 36,6 °C, une PA à 135/65 mm Hg et une FC à 60/min.

## Questions

**1.** Quels sont les risques ophtalmologiques d'un traumatisme de l'œil ?

En réalité, vous constatez un érythème conjonctival droit, un larmoiement droit, un œdème palpébral ainsi que quelques vésicules de l'arcade sourcilière. Il vous dit qu'en effet, la peau le brûle à cet endroit depuis 2 jours.

**2.** Quel est le diagnostic le plus probable ?

**3.** Vous appelez votre collègue ophtalmologue. Que craignez-vous ?

**4.** Prescrivez-vous des examens complémentaires ? Si oui, le(s)quel(s) ?

L'examen ophtalmologique ne révèle aucune complication. Votre collègue souhaite le laisser sortir avec ce traitement :
– aciclovir 5 × 800 mg/jour pendant 7 jours *per os* ;
– antalgique de classe II : paracétamol-codéine *per os* ;
– désinfection locale des lésions cutanées.

**5.** Qu'en pensez-vous ?

Quatre jours plus tard, vous êtes à nouveau de garde et revoyez le patient, amené par les pompiers pour confusion. Il aurait présenté chez lui une crise comitiale généralisée.

Vous retrouvez un patient subfébrile, agressif et tenant des propos incohérents et céphalalgique.

**6.** Quelle complication redoutez-vous ? Quel examen vous permettra de confirmer le diagnostic et qu'en attendez-vous ?

**7.** Prescrivez-vous un examen d'imagerie ? Si oui, lequel ? Qu'en attendez-vous ?

Votre patient guérit grâce à une prise en charge rapide. À sa sortie, vous lui donnez son ordonnance de sortie.

**8.** Que pensez-vous de son traitement habituel ?

# Première lecture et réflexes

- Œil et MICI + anti-TNF-x = penser à l'uvéite (induite ou liée à la maladie), causes infectieuses et iatrogènes.

- Pathologie infectieuse aiguë = arrêt temporaire des immunosuppresseurs.

# Réponses

**1. Quels sont les risques ophtalmologiques d'un traumatisme de l'œil ?** *(6)*

■ Contusion (hémorragie conjonctivale, hématocornée) ......................................................................... *2*

■ Plaie non perforante : corps étranger ................................................................................................ *2*

■ Plaie perforante :
– perforation de l'œil ........................................................................................................................ *1*
– plaie sclérale ................................................................................................................................. *1*

**2. Quel est le diagnostic le plus probable ?** *(10)*

■ **Zona ophtalmique** ...................................................................................................................... *5*
– droit ............................................................................................................................................. *5*

**3. Vous appelez votre collègue ophtalmologue. Que craignez-vous ?** *(10)*

■ **Kératite herpétique** droite ......................................................................................................... *10*

**4. Prescrivez-vous des examens complémentaires ? Si oui, le(s)quel(s) ?** *(12)*

■ Oui : ............................................................................................................................................. *5*
– **sérologie VIH (PMZ)** .................................................................................................................. *5*
– pas d'examen pour confirmation diagnostique ................................................................................. *2*

**5. Qu'en pensez-vous ?** *(19)*

■ Prise en charge non adaptée : **hospitalisation car immunodéprimé** ................................................ *2*

■ Traitement spécifique non adaptée : traitement par **aciclovir IV** car immunodéprimé ...................... *5*

■ Traitement symptomatique et local adapté ...................................................................................... *5*

■ Surveillance cutanée et ophtalmologique obligatoire ....................................................................... *2*

■ **Arrêt temporaire de l'infliximab (PMZ)** ...................................................................................... *5*

**6. Quelle complication redoutez-vous ? Quel examen vous permettra de confirmer le diagnostic et qu'en attendez-vous ?** *(18)*

■ **Méningo-encéphalite herpétique** ................................................................................................. *5*

■ Examen du liquide céphalo-rachidien après réalisation d'une ponction lombaire : .............................. *5*
– méningite lymphocytaire ................................................................................................................ *2*
– examen bactériologique négatif ...................................................................................................... *2*
– PCR HSV positive ou culture positive .............................................................................................. *2*
– mais peut être normale (a eu 4 jours de traitement) ......................................................................... *2*

**7. Prescrivez-vous un examen d'imagerie ? Si oui, lequel ? Qu'en attendez-vous ?** *(13)*

- Oui : ................................................................................................................................................................ **3**
- IRM cérébrale pondérée T1, T2, FLAIR ...................................................................................................... **5**
- Hypersignal T2 signant une encéphalite nécrosante ........................................................................ **5**

**8. Que pensez-vous de son traitement habituel ?** *(12)*

- Traitement immunosuppresseur : adapté si maladie de Crohn silencieuse .................................. **3**
- Traitement de l'asthme :
- non adapté ..................................................................................................................................................... **2**
- indication à un traitement de fond par corticoïdes inhalés car modéré à sévère .......................... **5**
- Traitement de l'HTA :
- non adapté ..................................................................................................................................................... **2**
- proposition d'arrêt des bêtabloqueurs au médecin traitant car asthme modéré à sévère et artériopathie des membres inférieurs : remplacement par autre classe (inhibiteurs calciques, par exemple) ....................................... **5**

## Conseils du conférencier

➜ *Corps du dossier classique.*

➜ *Questions 1 et 8 plus difficiles :*
   – *question 1 : aller de la superficie à la profondeur du globe ;*
   – *question 8 : reprendre traitement par traitement.*

➜ *Le zona est une pathologie infectieuse non rare.*

➜ *Avoir le réflexe de demander une sérologie VIH (avec accord).*

➜ *Voir la conférence de consensus pour les indications et les modalités de traitement.*

➜ *La méningo-encéphalite herpétique de l'adulte se voit essentiellement chez les immunodéprimés.*

### ⟫ Référence

Conférence de consensus. *Prise en charge des infections à VZV.* SPILF, 1998.

### ⟫ Item abordé dans ce dossier

**N° 84** – Infections à herpès virus de l'enfant et de l'adulte immunocompétents : herpès cutané et muqueux.

# Pas folle la guêpe

## Énoncé

Aux urgences générales, vous recevez une femme de 35 ans qui consulte pour un œdème du visage, des lèvres et des paupières, ainsi qu'une gêne respiratoire et laryngée. Les symptômes ont commencé un quart d'heure après une piqûre de guêpe, aux alentours de 13 h. Elle avait auparavant déjeuné comme ses amis, qui ont tous mangé une salade de crevettes, avec du pain, alors qu'ils faisaient une randonnée en forêt.

Elle n'a pas d'antécédent, ne prend aucun traitement. Elle vient d'emménager dans une maison de campagne. Elle est mariée, a deux enfants en bonne santé.

Aucune des personnes qui l'accompagne n'a présenté de troubles similaires.

Ses constantes retrouvent : une T° à 37 °C, une PA à 130/85 mm Hg, un pouls à 100/min. Elle présente également une rhinorrhée et vous commencez à percevoir un stridor.

## Questions

**1.** Quel est votre diagnostic ?

**2.** Quelle est votre prise en charge ?

**3.** Quelle est la physiopathologie de cette affection ?

**4.** Quelles sont les principales causes d'anaphylaxie ?

**5.** Allez-vous demander un bilan pour explorer cet épisode ? Si oui, lequel ?

**6.** Quels agents pourraient être la cause de cet épisode ?

**7.** Quelles mesures préventives allez-vous lui donner par la suite ?

## Première lecture et réflexes

- Anaphylaxie = urgence thérapeutique, recherche de signes de gravité.

- À distance : éviction à vie, carte d'allergique.

## Réponses

**1. Quel est votre diagnostic ?** *(10)*

■ **Œdème de Quincke** ................................................................................................................ **10**

**2. Quelle est votre prise en charge ?** *(18)*

■ **Urgence thérapeutique médicale (PMZ)** ................................................................ **3**

■ Pas d'examen dans l'immédiat ................................................................................................ **NC**

■ Injection d'**adrénaline en sous-cutané** 0,25 mg ...................................................... **5**

■ Corticoïdes en bolus intraveineux (dexaméthasone) ...................................................... **5**

■ Antihistaminiques intraveineux dexchlorphéniramine (Polaramine®) ......................... **3**

■ **Surveillance rapprochée respiratoire et cardiaque (PMZ)** ......................... **2**

■ Appel des réanimateurs si pas d'amélioration rapide ..................................................... **NC**

**3. Quelle est la physiopathologie de cette affection ?** *(15)*

■ Réaction anaphylactique ......................................................................................................... **5**

■ Phase de sensibilisation : première exposition à l'allergène avec production IgE spécifiques se fixant sur les récepteurs des mastocytes et des basophiles ................................................. **5**

■ Phase de réintroduction : fixation des antigènes sur les IgE spécifiques induisant la dégranulation des mastocytes et des basophiles ................................................................................ **5**

■ Médiateurs libérés : histamine et sérotonine essentiellement ....................................... **NC**

**4. Quelles sont les principales causes d'anaphylaxie ?** *(7)*

■ Alimentaires le plus souvent : arachide, fruits exotiques, etc. ....................................... **2**

■ Effort ............................................................................................................................................. **2**

■ Autres (latex) ............................................................................................................................. **2**

■ Idiopathique ................................................................................................................................ *1*

**5. Allez-vous demander un bilan pour explorer cet épisode ? Si oui, lequel ?** *(18)*

■ Oui : ............................................................................................................................................. **5**

– le plus tôt possible avec le traitement du choc : dosage de l'histamine et de la tryptase sérique (à renouveler 2 h après) ......................................................................................................... **3**

– lors de l'hospitalisation : NFS, plaquettes (recherche d'une hyperéosinophilie) ......... **2**

– dans un second temps : bilan allergologique au moins 4 à 6 semaines après l'épisode ........... **3**

  • interrogatoire précis et policier ......................................................................................... **2**

  • prick-tests ............................................................................................................................. **3**

**6. Quels agents pourraient être la cause de cet épisode ?** *(10)*

■ Piqûre hyménoptère ................................................................................................................................ *5*

■ Ingestion de crevettes ............................................................................................................................ *5*

**7. Quelles mesures préventives allez-vous lui donner par la suite ?** *(22)*

■ Recherche et reconnaissance de l'allergène ....................................................................................... *1*

■ **Éviction de l'allergène à vie (PMZ)** ............................................................................................ *5*

■ **Éducation du patient et de ses proches (PMZ) :** ................................................................. *5*
– remise d'une carte allergique ............................................................................................................... *3*
– remise d'une liste d'aliments et de médicaments susceptibles de contenir l'agent causal ............ *2*
– nécessité pour le patient de se munir d'un kit de secours d'adrénaline auto-injectable ................. *3*

■ Possibilité d'essai de désensibilisation spécifique, mais efficacité inconstante ............................... *3*

# Conseils du conférencier

➜ *Dossier monothématique sur l'anaphylaxie, sans difficulté particulière.*

➜ *Insister sur la notion d'urgence.*

➜ *Les dosages de tryptase et histamine ne doivent pas retarder le traitement. Ils sont surtout réalisés lors d'anaphylaxie au cours d'intervention chirurgicale.*

➜ *Les tests cutanés ne peuvent être réalisés qu'à distance de l'épisode et sont précédés d'un interrogatoire policier, afin de déterminer dans la mesure du possible tous les allergènes possibles à tester.*

➜ *Insister sur les mesures associées et l'éducation du patient.*

## >>> Items abordés dans ce dossier

**N° 113** – Allergie et hypersensibilité chez l'enfant et l'adulte : aspects épidémiologiques, diagnostiques et principes de traitement.

**N° 200** – État de choc.

**N° 211** – Œdème de Quincke et anaphylaxie.

# Sous les *sunlights* des tropiques

## Énoncé

Vous êtes en vacances dans le sud de la France, en plein mois d'août. Vous êtes appelé un matin pour voir trois patientes qui se plaignent de troubles dermatologiques. Elles ont toutes vu apparaître un érythème après exposition solaire.

Vous voyez en premier une patiente de 50 ans, de phototype III, qui est arrivée sur son lieu de vacances l'avant-veille. Elle s'est exposée en maillot de bain sur la plage pour bronzer l'après-midi de la veille.

Elle présente un érythème rouge vif granité des cuisses, du décolleté, du haut du dos et du visage, douloureux au toucher. Cet érythème est apparu dans la soirée.

## ❓ Questions

**1.** Quel est votre diagnostic ?

**2.** Quels signes cliniques dermatologiques de gravité recherchez-vous ?

**3.** Ces signes sont absents. Quel traitement prescrivez-vous ?

La deuxième patiente est l'une de ses filles, âgée de 25 ans, qui est arrivée deux jours avant sa mère. Elle s'est également exposée depuis son arrivée, sur la plage, et se plaint d'une éruption érythémateuse papuleuse, fortement prurigineuse, des bras et du décolleté. Le visage est indemne.

Elle vous signale que ce type d'éruption se reproduit tous les étés, et qu'elle disparait en une dizaine de jours. Depuis trois ans, cela a tendance à s'aggraver.

**4.** Quel est votre diagnostic ?

**5.** Quels sont les traitements que vous pouvez lui proposer ?

Vous voyez la seconde fille de la patiente, âgée de 20 ans et qui est arrivée il y a une semaine. Elle a beaucoup joué au tennis les premiers jours et souffre d'une entorse de la cheville droite, pour laquelle elle applique du kétoprofène local depuis 48 h. Elle a arrêté le tennis et a rejoint sa mère sur la plage. Depuis hier, elle se plaint d'une éruption eczématiforme avec des décollements bulleux de la cheville droite, débordant sur le dos du pied et le mollet. Cette éruption est prurigineuse.

Vous constatez en effet une éruption très œdémateuse et des érosions post-bulleuses.

**6.** Quel diagnostic suspectez-vous ?

**7.** Quel traitement instaurez-vous à cette patiente ?

**8.** Vous leur donnez à toutes des recommandations de protection solaire. Quelles sont-elles ?

## Première lecture et réflexes

- Éruption au soleil = éviction solaire et mesures de protection solaire.
- Accident phototoxique = arrêt du médicament responsable.

## Réponses

**1. Quel est votre diagnostic ?** *(10)*

- Brûlures thermiques par exposition solaire ............................................................... **10**

**2. Quels signes cliniques dermatologiques de gravité recherchez-vous ?** *(9)*

- Bulles ........................................................................................................................ **3**
- Surface étendue ....................................................................................................... **3**
- Anesthésie de contact .............................................................................................. **3**

**3. Ces signes sont absents. Quel traitement prescrivez-vous ?** *(15)*

- Traitement ambulatoire ............................................................................................ ***NC***
- **éviction et protection solaires** .......................................................................... ***2***
- émollients/trolamine (Biafine®) .............................................................................. ***5***
- hydratation orale ...................................................................................................... ***2***
- dermocorticoïdes ...................................................................................................... ***2***
- antalgiques si besoin ................................................................................................ ***2***
- Surveillance ............................................................................................................... ***2***

**4. Quel est votre diagnostic ?** *(10)*

- Lucite estivale bénigne ............................................................................................. **10**

**5. Quels sont les traitements que vous pouvez lui proposer ?** *(16)*

- Traitement en aigu :
- éviction et protection solaires (écran UVA surtout) ............................................... **3**
- dermocorticoïdes sur les zones atteintes : 1 application par jour jusqu'à guérison ......... **5**
- Traitement de fond :
- antipaludéens de synthèse (à débuter 1 semaine avant l'exposition) ....................... **3**
- photothérapie (UVB TL01 ou PUVA-thérapie), après examen cutané et bilan ophtalmologique ......... **3**
- Surveillance ............................................................................................................... **2**

**6. Quel diagnostic suspectez-vous ?** *(10)*

- **Accident phototoxique** au kétoprofène ............................................................. **10**

**7. Quel traitement instaurez-vous à cette patiente ?** *(16)*

- Traitement ambulatoire : ................................................................................................................................ *NC*
- **arrêt du kétoprofène (PMZ)** ........................................................................................................ *5*
- éviction solaire ........................................................................................................................................ *2*
- traitement anti-inflammatoire par dermocorticoïdes de forte classe ................................ *5*
- soins locaux des érosions (nettoyage au sérum physiologique, pansement hydrocolloïde) ................................ *2*

- Surveillance ................................................................................................................................................ *2*

---

**8. Vous leur donnez à toutes des recommandations de protection solaire. Quelles sont-elles ?** *(14)*

- **Éviction solaire** ................................................................................................................................ *3*
- notamment aux heures les plus chaudes (de 11 h à 16 h) .................................................. *3*

- **Protection solaire** efficace : ...................................................................................................... *2*
- vêtements amples (manches, pantalons) .................................................................................... *2*
- chapeau, lunettes ................................................................................................................................ *2*
- crème d'indice élevé anti-UVA et UVB sur les zones découvertes (toutes les deux heures) ................................ *2*
- hydratation fréquente ...................................................................................................................... *NC*

- Protection des enfants et personnes fragiles ........................................................................ *NC*

## Conseils du conférencier

→ *Items non explicitement au programme, mais rentrant dans la cadre plus large des exanthèmes.*

→ *Brûlures thermiques : recherche systématique des signes de gravité (localisation, atteinte circulaire, étendue, anesthésie).*

→ *Accident aux AINS : accident phototoxique non exceptionnel, imposant l'arrêt des AINS.*

→ *Lucite estivale bénigne : fréquente, elle se caractérise par une éruption papuleuse souvent prurigineuse, épargnant le visage. Le traitement préventif repose sur la protection solaire, les antipaludéens de synthèse, les caroténoïdes et éventuellement la photothérapie.*

### >>> Items abordés dans ce dossier

**N° 174** – Prescription et surveillance des anti-inflammatoires stéroïdiens et non stéroïdiens.

**N° 314** – Exanthème, érythrodermie.

# Rire jaune

## Énoncé

Vous faites la visite dans un service de pédiatrie et êtes amené à voir un nouveau-né, né à 36 SA par voie basse. La naissance s'est déroulée sans complication majeure, avec un Apgar à 9, puis à 10. Le petit garçon pesait 2,930 kg, pour une taille de 49 cm et un PC de 35 cm. Il a dû rester hospitalisé car il a présenté une jaunisse.

Il est nourri au lait artificiel et sa maman, inquiète, vous pose quelques questions.

## ? Questions

**1.** Vous réalisez tout d'abord un examen clinique pour explorer l'ictère. Quels éléments recherchez-vous particulièrement ?

Votre examen est normal. Elle vous demande quelles peuvent être les causes d'ictère néonatal.

**2.** Que lui répondez-vous ? Quelle est la cause la plus probable ?

Grâce à vos soins, l'ictère finit par régresser en 48 h avec une simple surveillance.

Elle vous demande également votre avis sur une lésion maculeuse, bleutée, d'environ 3 à 4 cm de diamètre, à contours réguliers, présente depuis la naissance sur la région lombaire.

**3.** Quel est votre diagnostic et que dites-vous à la maman ?

Ils sont enfin prêts à sortir. Le jour de la sortie, la maman vous appelle de nouveau car elle a remarqué l'apparition d'une lésion du front de 2 cm, charnue, rouge, saillante à contours irréguliers et élastique à la palpation.

**4.** Quel est votre diagnostic ?

**5.** Quel(s) examen(s) réalisez-vous pour confirmer votre diagnotic ?

**6.** Quelles sont les évolutions possibles de cette affection ?

**7.** Quelles sont les possiblités de traitement de cette affection ? Que choisissez-vous ici ?

**8.** Elle a vu sur internet que cette lésion peut se compliquer d'un syndrome de Kasabach Merrit. Que lui répondez-vous ?

## Première lecture et réflexes

- Hémangiome tubéreux = complications si localisation périorificielle.

- Question 6 : préciser l'évolution habituelle puis les complications possibles.

## Réponses

**1. Vous réalisez tout d'abord un examen clinique. Quels éléments recherchez-vous particulièrement ?** *(10)*

■ Interrogatoire :
— antécédents familiaux :
   • **situation d'incompatibilité maternofœtale** ................................................................................ *1*
   • pathologie hémolytique héréditaire ................................................................................................ *1*
   • consanguinité ................................................................................................................................ *1*
— antécédents personnels :
   • terme ............................................................................................................................................ *NC*
   • poids de naissance, courbe de poids depuis la naissance ............................................................ *1*
   • type d'allaitement ........................................................................................................................ *1*
— par rapport à l'ictère :
   • signes associés :
      - hyperthermie .......................................................................................................................... *1*
      - selles décolorées, urines foncées .......................................................................................... *1*
   • intervalle libre entre la naissance et l'apparition de l'ictère ........................................................ *1*

■ Examen physique :
— éléments pour le diagnostic étiologique :
   • hépatosplénomégalie .................................................................................................................. *1*
— éléments pour le diagnostic de gravité :
   • examen neurologique anormal .................................................................................................... *1*

---

**2. Que lui répondez-vous ? Quelle est la cause la plus probable ?** *(26)*

■ Causes envisageables :
— ictère physiologique par immaturité hépatique ou hémolyse physiologique .................................. *4*
— hémolyses pathologiques : ............................................................................................................ *4*
   • incompatibilité Rhésus ABO, hémolyse constitutionnelle
— polyglobulie .................................................................................................................................. *1*
— infection urinaire .......................................................................................................................... *2*
— causes métaboliques : .................................................................................................................. *3*
   • mère diabétique, hypothyroïdie, asphyxie périnatale, obstruction digestive, maladie de Crigler-Najjar
— cholestase : .................................................................................................................................. *3*
   • embryopathies (TORCH), mucoviscidose, déficit alpha 1-antitrypsine
— atrésie des voies biliaires extrahépatiques .................................................................................... *2*
— septicémie à pyogènes, syndrome de Dubin-Johnson .................................................................. *2*

■ Cause la plus probable : **ictère physiologique** ............................................................................ *5*

### 3. Quel est votre diagnostic et que dites-vous à la maman ? *(10)*

■ **Tache mongoloïde** par accumulation de mélanocytes dans le derme ............................................................ *5*

■ Aucune gravité ............................................................................................................................................................................................ *1*

■ Disparition en général spontanée durant la petite enfance ............................................................................ *4*

### 4. Quel est votre diagnostic ? *(10)*

■ **Hémangiome infantile tubéreux** frontal ................................................................................................................ *10*

### 5. Quel(s) examen(s) réalisez-vous pour confirmer votre diagnotic ? *(10)*

■ Aucun .............................................................................................................................................................................................................. *5*

■ Diagnostic clinique ................................................................................................................................................................................ *5*

### 6. Quelles sont les évolutions possibles de cette affection ? *(17)*

■ **Évolution favorable le plus souvent :** ............................................................................................................ *5*
– augmente progressivement de taille .............................................................................................................................. *1*
– puis régresse .......................................................................................................................................................................................... *1*
– puis disparaît .......................................................................................................................................................................................... *1*

■ Complications :
– nécrose ........................................................................................................................................................................................................ *2*
– hémorragie .............................................................................................................................................................................................. *2*
– infection .................................................................................................................................................................................................... *2*

■ Complication liée à la localisation : gêne du dévéloppement sensoriel en cas de localisation périorificielle ........... *3*

### 7. Quelles sont les possibltés de traitement de cette affection ? Que choisissez-vous ici ? *(12)*

■ Dans les cas d'hémangiome simple :
– le plus souvent, abstention thérapeutique et surveillance ...................................................................... *5*

■ Dans les formes compliquées d'hémangiome :
– corticothérapie générale ............................................................................................................................................................ *1*
– bêtabloquants (propanolol) .................................................................................................................................................... *1*

■ Attitude choisie :
– abstention thérapeutique .......................................................................................................................................................... *2*
– surveillance .............................................................................................................................................................................................. *3*

### 8. Elle a vu sur internet que cette lésion peut se compliquer d'un syndrome de Kasabach Merrit. Que lui répondez-vous ? *(5)*

■ Complication non liée aux hémangiomes tubéreux .............................................................................................. *2*

■ Il s'agit d'une complication des **hémangiomes en touffes ou des hémangio-endothéliomes kaposiformes** .......................................................................................................................................................................................... *3*

# Conseils du conférencier

→ *L'ictère néonatal est une affection fréquente, la cause la plus fréquente étant l'immaturité hépatique (ictère physiologique).*

→ *Cependant, l'examen clinique doit s'attacher à rechercher des signes en faveur d'une cause autre possible.*

→ *Les taches mongoloïdes ne sont pas à proprement parler un item, mais ce sujet peut être intégré dans l'item n° 23 « Évaluation et soins du nouveau-né à terme ».*

→ *L'hémangiome tubéreux est la forme la plus fréquente d'angiome du nourrisson. Les traitements par bêtabloquants en cas de forme compliquée se sont développés au cours des dernières années.*

## >>> Items abordés dans ce dossier

**N° 23** – Évaluation et soins du nouveau-né à terme.

**N° 223** – Angiomes.

**N° 320** – Ictère.

# Énoncé

Vous voyez en consultation un homme de 52 ans. Il est venu vous voir pour que vous traitiez son furoncle de la joue droite. C'est la première fois qu'il consulte un dermatologue.

Il vous a ramené son carnet de santé et vous relevez : les vaccins sont à jour, il est noté « allergie à l'amoxicilline : exanthème morbilliforme avec adénopathies et splénomégalie une semaine après la prescription d'amoxicilline pour une angine érythématopultacée ». Il est diabétique non insulinodépendant, actuellement traité par metformine.

Il est gérant d'assurances et a vu apparaître ce furoncle il y a 2 jours sur sa joue droite.

# Questions

**1.** À quoi correspond un furoncle ?

**2.** Vous notez en effet une lésion papuleuse inflammatoire et douloureuse avec une pustule centrale de la joue droite. Quel traitement instituez-vous ?

Vous ne revoyez pas le patient comme vous l'aviez demandé. Cependant, une semaine plus tard, vous êtes appelé aux urgences et revoyez votre patient qui, cette fois, présente un placard inflammatoire de l'hémiface droite. Vous palpez un cordon induré à l'angle interne de l'œil, vous ne retrouvez pas de bourrelet périphérique. Vous tentez d'interroger le patient mais celui-ci est confus. Vous demandez les constantes à l'externe qui vous communique : une PA à 85/35 mm Hg, une FC à 120/min, FR à 23/min et une T° à 39,8 °C. Sa femme vous informe qu'il n'a pas uriné depuis ce matin.

**3.** Quel est le diagnostic le plus probable ?

**4.** Quelle est votre prise en charge thérapeutique immédiate ?

Le patient finit par guérir de cet épisode. Vous continuez à le suivre régulièrement. Il revient vous voir six mois plus tard avec cette fois-ci une tuméfaction inflammatoire présternale, avec une petite zone nécrotique centrale, d'où s'écoule du pus. Cette lésion évolue depuis trois jours. Vous palpez la lésion, qui est fluctuante et douloureuse, ainsi que des adénopathies axillaires. Le patient est fébrile à 38,5 °C, mais son état général est conservé.

**5.** Quel est le diagnostic le plus probable ?

**6.** Quelles sont les grandes lignes de votre prise en charge thérapeutique ?

Il guérit également de cet épisode. Il décide de vous prendre comme médecin traitant. Il vient vous voir car son dentiste doit réaliser une extraction dentaire avec encadrement antibiotique. Il voudrait lui donner de l'amoxicilline-acide clavulanique (Augmentin®).

**7.** Qu'en pensez-vous ?

**8.** Le dentiste suit vos recommandations mais il est quand même gêné par cette contre-indication, car il a prévu d'autres soins. Quelle va être votre démarche pour lever tout doute ?

## Première lecture et réflexes

- Suspicion d'allergie à la pénicilline : noter pour tout le dossier contre-indication aux bêtalactamines.

- Diabète traité par metformine : en cas de pathologie aiguë septique, relai par insuline.

- Staphylococcie maligne de la face : urgence.

## Réponses

**1. À quoi correspond un furoncle ?** *(10)*

- **Folliculite nécrosante** ......................................................................................................... 5
- **à staphylocoque doré** ........................................................................................................... 3
- de l'appareil pilosébacé ........................................................................................................... 2

**2. Vous notez en effet une lésion papuleuse inflammatoire et douloureuse avec une pustule centrale de la joue droite. Quel traitement instituez-vous ?** *(14)*

- Traitement ambulatoire : ....................................................................................................... *NC*
- traitement **antiseptique** local par chlorhexidine pendant 10 jours ........................................ 5
- traitement **antibiotique local** par mupirocine pendant 10 jours .............................................. 5
- exérèse du bourbillon ............................................................................................................... 1
- règles hygiénodiététiques ......................................................................................................... 1
- pas de manipulation .................................................................................................................. 2

- Surveillance ............................................................................................................................... 1

***Remarque :*** *l'exérèse du bourbillon dépend de l'intensité des signes inflammatoires locaux. Elle n'est pas recommandée en cas de localisation médiofaciale.*

**3. Quel est le diagnostic le plus probable ?** *(9)*

- **Staphylococcie maligne de la face** (hémiface droite) .......................................................... 5
- secondaire à un furoncle de la joue droite .............................................................................. 1
- compliquée d'un sepsis sévère .................................................................................................. 3

**4. Quelle est votre prise en charge thérapeutique immédiate ?** *(23)*

- **Urgence thérapeutique médicale (PMZ)** .............................................................................. 2

- Traitement hospitalier en réanimation médicale ..................................................................... 2

- Mesures de **réanimation** :
- remplissage : sérum physiologique .......................................................................................... 2
- oxygénothérapie ....................................................................................................................... 2

- Traitement étiologique :
- **antibiothérapie double** synergique efficace sur le staphylocoque doré parentérale, après prélèvements infectieux (hémocultures et pustule si toujours présente) à adapter au germe (exemple : vancomycine + aminosides) .................................................................................... 5
- anticoagulant à doses efficaces ................................................................................................ 5
- **sans pénicilline (PMZ)** ......................................................................................................... *NC*

- Traitement symptomatique et mesures associées :
- antipyrétiques si fièvre non tolérée ......................................................................................... 1
- antalgiques ................................................................................................................................ 1
- arrêt de la metformine et relai pas insuline ............................................................................. 1

- Surveillance hospitalière rapprochée ........................................................................................ 2

**5. Quel est le diagnostic le plus probable ?** *(5)*

■ **Anthrax** présternal .......................................................................................................................... *5*

**6. Quelles sont les grandes lignes de votre prise en charge thérapeutique ?** *(13)*

■ Prise en charge en hospitalisation : ................................................................................................ *1*
– traitement médical :
    • **antibiothérapie** efficace sur le staphylocoque doré par voie parentérale (rifampicine, par exemple) après
    prélèvements (hémocultures et prélèvements de pus) ....................................................................... *5*
– **traitement chirurgical :** ............................................................................................................... *3*
    • mise à plat dès que la lésion est collectée ................................................................................ *1*
    • nettoyage et prélèvements bactériologiques .............................................................................. *1*
– mesures associées :
    • antalgiques ................................................................................................................................ *NC*
    • soins locaux ............................................................................................................................... *1*
    • arrêt de la metformine et relai par insuline ............................................................................... *1*

■ Surveillance ......................................................................................................................................... *NC*

**7. Qu'en pensez-vous ?** *(15)*

■ Antibiotique adapté sur les germes de la flore buccale (bacilles à Gram négatif notamment) ....................... *3*

■ **Contre-indiqué** chez ce patient pour suspicion d'allergie **(PMZ)** .............................................. *5*

■ Indication à donner un antibiotique d'une autre classe (synergistines) ......................................... *2*

■ Hypothèse non fondée : probable épisode de **primo-infection EBV** (MNI) avec éruption après prise
d'amoxicilline ......................................................................................................................................... *5*

**8. Le dentiste suit vos recommandations mais il est quand même gêné par cette contre-indication, car il a
prévu d'autres soins. Quelle va être votre démarche pour lever tout doute ?** *(11)*

■ Explorations allergologiques ............................................................................................................. *5*

■ Prick tests ............................................................................................................................................. *2*

■ Patch tests (batterie standard et amoxicilline) .............................................................................. *2*

■ Si négatifs, test de réintroduction en milieu hospitalier ............................................................... *2*

■ En cas de test de réintroduction normal, pas de contre-indication à la prise de bêtalactamines ............. *NC*

## Conseils du conférencier

➜ *Dossier reprenant les principales affections cutanées infectieuses à staphylocoque doré.*

➜ *L'allergie à la pénicilline est très peu probable au vu de l'énoncé. Cependant, il est nécessaire de l'attester par des tests cutanés et un test de réintroduction.*

**≫ Items abordés dans ce dossier**

**N° 87** – Infections cutanéo-muqueuses bactériennes et mycosiques.

**N° 104** – Septicémie.

## Énoncé

Un patient de 45 ans vient consulter pour des lésions des mains et du tronc.

Il s'agit d'un patient sans antécédent, qui ne prend pas de traitement. Il est commercial et voyage beaucoup. Il est célibataire sans enfant, fume 15 cigarettes par jour depuis 10 ans et consomme de l'alcool régulièrement (environ 2 verres de vin et un apéritif par jour).

Il se plaint de lésions papuleuses apparues il y a deux semaines, sur les paumes des mains et les plantes des pieds, ainsi que quelques lésions génitales.

Cliniquement, vous constatez la présence de papules infiltrées cuivrées palmaires et plantaires, de rares papules rosées du haut du tronc, non prurigineuses. Sur la verge, il présente des papules érosives indolores. Il vous signale également avoir présenté une éruption fugace du tronc quelques jours auparavant.

## ? Questions

1. Quel diagnostic suspectez-vous ?
2. Que recherchez-vous à l'interrogatoire pour conforter votre diagnostic ?
3. Que recherchez-vous à l'examen physique pour conforter votre diagnostic ?
4. Quels examens pourriez-vous prescrire pour confirmer ce diagnostic et qu'en attendez-vous ?
5. Prescrivez-vous d'autres examens ? Si oui, lesquels ?
6. Le diagnostic se confirme. Quelle est votre démarche thérapeutique ?

Deux heures après votre traitement, le patient revient car il se plaint d'un syndrome fébrile, de céphalées, myalgies et d'autres papules sont apparues sur le tronc. Il pense qu'il est allergique au médicament que vous lui avez administré.

7. Qu'en pensez-vous ?

## Première lecture et réflexes

- Tabac et alcool détaillés : calcul de la dose en PA et UAI, aide au sevrage.

- Suspicion de MST = bilan IST, dépistage et traitement des partenaires, rapports sexuels protégés, éducation.

- Question 3 : séparer les signes cutanés et extracutanés afin de produire un plan.

- Question 4 : la question doit recenser tous les examens à disposition pour effectuer le diagnostic, même si ceux-ci ne sont pas effectués en pratique.

## Réponses

### 1. Quel diagnostic suspectez-vous ? *(10)*

■ **Syphilis secondaire** avec syphilides papuleuses et plaques muqueuses ............................................ **10**

### 2. Que recherchez-vous à l'interrogatoire pour conforter votre diagnostic ? *(10)*

■ Mode de vie : rapports sexuels à risque .............................................................................................. *2*

■ Antécédents : IST ................................................................................................................................. *1*

■ Histoire de la maladie :
– épisode de **chancre** syphilitique il y a 6 semaines à 6 mois (ulcération indolore génitale) ................ *5*

■ Symptomatologie fonctionnelle :
– asthénie, fièvre ................................................................................................................................... *2*

### 3. Que recherchez-vous à l'examen physique pour conforter votre diagnostic ? *(12)*

■ Signes cutanés : examen de tout le tégument, des phanères et des muqueuses
– perlèche ............................................................................................................................................. *1*
– alopécie en plaques ............................................................................................................................ *2*
– plaques muqueuses buccales .............................................................................................................. *2*

■ Signes extracutanés :
– éphalées, syndrome méningé ............................................................................................................. *1*
– polyadénopathies ............................................................................................................................... *2*
– hépatosplénomégalie .......................................................................................................................... *2*
– raucité de la voix ................................................................................................................................ *1*
– polyarthralgies ................................................................................................................................... *1*

### 4. Quels examens pourriez-vous prescrire pour confirmer ce diagnostic et qu'en attendez-vous ? *(15)*

■ Examen au microscope à fond noir (car présence de lésions muqueuses) : recherche de tréponèmes ................. *3*

■ **Sérologie syphilis :**
– TPHA +++ .......................................................................................................................................... *3*
– VDRL élevé ......................................................................................................................................... *3*
– FTA positif .......................................................................................................................................... *1*

■ Biopsie cutanée pour analyse histologique :
– présence de plasmocytes ..................................................................................................................... *5*

**5. Prescrivez-vous d'autres examens ? Si oui, lesquels ?** *(20)*

■ Oui .................................................................................................................................................. *5*

■ Pour le patient : **bilan IST (PMZ)** ..................................................................................... *5*
– sérologie HIV 1 et 2 avec accord du patient à refaire à 3 mois ..................................... *2*
– sérologies hépatites B et C ...................................................................................................... *2*
– PCR chlamydiae ......................................................................................................................... *1*
– PCR sur 1er jet d'urine (recherche de gonocoque et chlamydiæ) ................................. *NC*

■ Pour les **partenaires** : même bilan .................................................................................. *5*

**6. Le diagnostic se confirme. Quelle est votre démarche thérapeutique ?** *(22)*

■ Traitement ambulatoire ........................................................................................................... *2*

■ Traitement antibiotique :
– injection intramusculaire unique de 2,4 millions d'unités de **benzathine pénicilline G** (Extencilline®) .......... *5*
– si allergie à la pénicilline, doxycycline (100 mg *per os* matin et soir) pendant 2 semaines ...................... *3*

■ Mesures associées aux IST :
– **dépistage et traitement des partenaires (PMZ)** ....................................................... *3*
– dépistage et traitement des autres IST ................................................................................. *2*
– éducation et information ........................................................................................................... *1*
– **rapports sexuels protégés (PMZ)** ................................................................................. *2*
– vaccin hépatite B si non fait ................................................................................................... *1*

■ Surveillance clinique et biologique à J7, 3 et 6 mois (dosage du VDRL) ...................... *3*

**7. Qu'en pensez-vous ?** *(11)*

■ Allergie peu probable ............................................................................................................... *3*

■ Hypothèse la plus probable : **réaction d'Herxheimer** après l'administration de l'antibiotique ...................... *5*

■ Traitement symptomatique par paracétamol ....................................................................... *3*

 ## Conseils du conférencier

→ *Il n'y a pas de difficulté particulière à retrouver le diagnostic au vu de l'énoncé.*

→ *La syphilis secondaire survient 6 semaines à 6 mois après la survenue du chancre.*

→ *Elle associe des lésions cutanées (roséole et syphilides papuleuses) et des lésions des muqueuses et des phanères (alopécie). Les manifestations systémiques (syndrome grippal, atteinte rénale, oculaire) sont plus rares.*

→ *Ne pas oublier les examens chez le partenaire.*

### >>> Items abordés dans ce dossier

**N° 95** – Maladies sexuellement transmissibles : gonococcie, chlamydiose, syphilis.

**N° 343** – Ulcérations ou érosions des muqueuses orales et/ou génitales.

## Énoncé

Une jeune femme de 32 ans vient vous voir en consultation car elle se plaint d'une « chute de cheveux ».

Cette patiente n'a pas d'antécédent familial ou personnel, ne prend pas de traitement hormis des AINS lors de céphalées, et une contraception œstroprogestative depuis 10 ans.

Elle présente une alopécie depuis 1 mois maintenant. Elle a tenté de changer de shampoing, sans efficacité. Elle a l'impression que cela s'aggrave progressivement. Elle est gênée notamment dans son travail de commerciale, pour lequel elle vient d'accepter un poste à Pau. Elle va régulièrement dans le sud-ouest de la France pour pratiquer le surf. Son état général est bon, elle pèse 52 kg pour 1 m 67.

Vous constatez en effet une alopécie en plaques (*voir photo*)

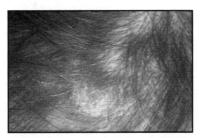

**Voir version en couleurs en fin d'ouvrage.**

## ? Questions

**1.** Décrivez l'alopécie de la patiente.

**2.** Quelles sont les deux causes les plus fréquentes de telles lésions d'alopécie ?

Vous continuez d'interroger la patiente qui vous informe qu'elle est très gênée au soleil, et qu'elle a oublié de vous signaler qu'elle a été hospitalisée il y a 2 ans pour une péricardite, sans cause apparente retrouvée.

**3.** Vers quel diagnostic vous dirigez-vous ?

**4.** Quels examens complémentaires en 1re intention pratiquez-vous pour confirmer votre diagnostic ?

Parmi les résultats que vous recevez, vous notez :
- Hb 12,3 g/dL ;
- leucocytes 5 800/mm$^3$ ;
- plaquettes 95 000/mm$^3$ ;
- AAN 1/160 ;
- anti ADN natifs +.
Le reste des explorations est normal.

**5.** Pouvez-vous confirmer votre diagnostic et pourquoi ?

**6.** Quel traitement pouvez-vous proposer en 1re intention ?

**7.** Elle vous demande si ses cheveux vont repousser comme avant. Que lui répondez-vous ?

## Première lecture et réflexes

- Femme en âge de procréer.

- Poids et taille : calcul de l'IMC = $P/T^2$.

- Exposition chronique au soleil = photoprotection.

- Suspicion de connectivité : discuter les œstrogènes.

## Réponses

**1. Décrivez l'alopécie de la patiente.** *(13)*

■ Alopécie **cicatricielle** en plaques : ............................................................................... 5
– lésions inflammatoires en plaques squameuses ............................................................. 5
– du cuir chevelu ......................................................................................................... 3

**2. Quelles sont les deux causes les plus fréquentes de telles lésions d'alopécie ?** *(10)*

■ Lupus érythémateux chronique ..................................................................................... 5

■ Lichen plan pilaire ....................................................................................................... 5

**3. Vers quel diagnostic vous dirigez-vous ?** *(10)*

■ Alopécie sur **lupus chronique** ................................................................................... 10

**4. Quels examens complémentaires en 1re intention pratiquez-vous pour confirmer votre diagnostic ?** *(25)*

■ Biopsie cutanée du cuir chevelu pour analyse anatomopathologique et immunofluorescence directe ................. 5

■ Examens biologiques :
– anticorps antinucléaires .............................................................................................. 5
– anticorps anti-ADN natifs, anti-Sm, anti-nucléosome, autres antinucléaires solubles ................. 5
– complément C3,C4, CH50 ......................................................................................... 3
– NFS plaquettes,VS ..................................................................................................... 3
– TP, TCA, antiphospholipides ....................................................................................... 2
– bandelette urinaire, créatininémie ................................................................................. 2

**5. Pouvez-vous confirmer votre diagnostic et pourquoi ?** *(15)*

■ Oui : lupus érythémateux chronique .............................................................................. 5

■ 4 critères (sur 11) de classification : ............................................................................ 2
– photosensibilité ......................................................................................................... 2
– péricardite ................................................................................................................ 2
– thrombopénie < 100 000/mm$^3$ ................................................................................. 2
– anticorps anti-ADN natifs positifs ................................................................................. 2

**6. Quel traitement pouvez-vous proposer en 1re intention ?** *(21)*

- Traitement ambulatoire ................................................................................................................................ **NC**
- Traitement local par dermocorticoïdes de forte classe ...................................................................... **5**
- Traitement systémique par hydroxychloroquine ................................................................................ **5**
- Photoprotection UVA et UVB indice élevé ......................................................................................... **5**
- Poursuite de la contraception œstroprogestative possible en l'absence d'antiphospholipides et si œstrogènes faiblement dosés ........................................................................................................................................... **2**
- Éducation, information .............................................................................................................................. **2**
- Surveillance régulière ................................................................................................................................ **2**

**7. Elle vous demande si ses cheveux vont repousser comme avant. Que lui répondez-vous ?** *(6)*

- Repousse difficile à obtenir sur les plaques cicatricielles (destruction du follicule) .................. **3**
- Possible si prise en charge précoce mais pas si l'alopécie est installée ......................................... **3**

## Conseils du conférencier

→ *Dossier monothématique sans difficulté particulière.*

→ *Alopécie cicatricielle en plaques = lupus chronique ou lichen pilaire. De manière plus rare, on peut évoquer une folliculite décalvante.*

→ *Le lupus chronique est caractérisé par la triade : hyperkératose (ostiums folliculaires), atrophie, érythème.*

### >>> Items abordés dans ce dossier

**N° 117** – Lupus érythémateux disséminé. Syndrome des antiphospholipides.
**N° 288** – Troubles des phanères.

# Dossier N° 29 — Il n'y a que maille qui...

Vous discutez avec votre collègue de gastro-entérologie, et il en vient à solliciter votre avis à propos d'un patient de 35 ans qu'il suit pour une hépatite B chronique, traitée par interféron. Il est venu en consultation dernièrement. Sa charge virale est stable. Il a mentionné présenter des myalgies des mollets, ainsi que des arthralgies parfois intenses.

Vous acceptez de le voir en consultation.

Vous recevez un patient asthénique, qui a perdu 3 kg en deux semaines, et qui est subfébrile à 38 °C. En effet, il a des difficultés à marcher en raison de myalgies aux membres inférieurs. Vous l'examinez et constatez la présence d'un livédo à grandes mailles ouvertes, douloureux, sur le tronc.

## ? Questions

**1.** Quels sont les trois cadres étiologiques à évoquer devant un livédo à mailles ouvertes ?

**2.** Vous êtes interpellé par ce livédo et continuez à l'examiner. Vous remarquez que le patient a des difficultés à relever le poignet droit et le pied gauche. Que vous évoque l'ensemble du tableau clinique ?

**3.** Sur quels arguments ?

**4.** Quels signes de l'examen physique allez-vous rechercher pour étayer ce diagnostic ?

**5.** Quels examens allez-vous demander ?

**6.** Vous décidez d'introduire une corticothérapie générale. Quelles sont les complications cutanées potentielles d'une corticothérapie générale au long cours ?

Quelques années plus tard, alors que vous le suivez régulièrement et que sa maladie est stabilisée, il vient consulter car il se plaint de douleurs mécaniques brutales de la hanche droite depuis 5 jours. Son état général est bon. Vous constatez des limitations des amplitudes articulaires et une boiterie franche.

**7.** Quel diagnostic suspectez-vous ?

**8.** Quels sont les examens complémentaires qui vont vous permettre de poser le diagnostic ?

## Première lecture et réflexes

• Hépatite B et livédo suspect : évoquer d'emblée la PAN (périartérite noueuse).

## Réponses

**1. Quels sont les trois cadres étiologiques à évoquer devant un livédo à mailles ouvertes ?** *(15)*

■ Livédo par thrombose ........................................................................................................ **5**

■ Livédo par embolies .......................................................................................................... **5**

■ Livédo par vascularite ....................................................................................................... **5**

**2. Vous êtes interpellé par ce livédo et continuez à l'examiner. Vous remarquez que le patient a des difficultés à relever le poignet droit et le pied gauche. Que vous évoque l'ensemble du tableau clinique ?** *(10)*

■ **Périartérite noueuse** ...................................................................................................... **10**

**3. Sur quels arguments ?** *(13)*

■ Clinique :
– mononévrite multiple probable ......................................................................................... **2**
– livédo .............................................................................................................................. **2**
– altération de l'état général ............................................................................................... **2**
– fièvre ............................................................................................................................... **1**
– myalgies, arthralgies ........................................................................................................ **2**

■ Terrain :
– homme âge moyen ........................................................................................................... **1**
– hépatite B ........................................................................................................................ **3**

**4. Quels signes de l'examen physique allez-vous rechercher pour étayer ce diagnostic ?** *(17)*

■ Examen dermatologique :
– caractéristiques du livédo :
• suspendu ..................................................................................................................... **1**
• infiltré .......................................................................................................................... **1**
• nécrotique .................................................................................................................... **1**
– purpura nécrotique ou vasculaire ..................................................................................... **3**
– nodules hypodermiques sur les trajets artériels ................................................................ **3**

■ examen général :
– prise de la pression artérielle aux deux bras ..................................................................... **3**
– bandelette urinaire : recherche d'une protéinurie, hématurie ............................................ **3**
– examen neurologique complet à la recherche d'une atteinte du système nerveux périphérique (et central plus rarement) ......................................................................................................................... **2**

### 5. Quels examens allez-vous demander ? *(20)*

- **En urgence** .......................................................................................................................................... *2*
- Sans attendre les résultats pour introduire le traitement .................................................................. *1*
- Diagnostic positif :
  - biopsie neuromusculaire ................................................................................................................ *4*
  - biopsie cutanée ............................................................................................................................. *1*
- Diagnostic des complications :
  - bilan inflammatoire : NFS plaquettes, VS, fibrinogène, EPP ...................................................... *2*
  - bilan rénal : protéinurie, ECBU, créatininémie, urée, ionogramme .......................................... *2*
  - artériographie rénale (avant toute PBR) ................................................................................... *3*
- Diagnostic du terrain :
  - charge virale hépatite B ................................................................................................................ *1*
  - sérologies VHC et VIH ................................................................................................................ *NC*
- Bilan préthérapeutique (corticothérapie) :
  - ionogramme, glycémie, bilan lipidique ....................................................................................... *1*
  - radiographie thorax, ECBU ......................................................................................................... *1*
- Diagnostic différentiel :
  - ANCA, cryoglobulinémie ............................................................................................................. *1*
  - AAN ................................................................................................................................................ *1*

**Remarque :** *Si PBR avant artériographie : 0 à la question (PBR contre-indiquée si suspicion de PAN, car il y a un risque hémorragique si ponction d'artère rénale).*

### 6. Vous décidez d'introduire une corticothérapie générale. Quelles sont les complications cutanées potentielles d'une corticothérapie générale au long cours ? *(10)*

- Retard à la cicatrisation ...................................................................................................................... *2*
- Fragilité cutanée .................................................................................................................................. *NC*
- Purpura ................................................................................................................................................. *2*
- Kaposi ................................................................................................................................................... *NC*
- Acné ...................................................................................................................................................... *2*
- Hirsutisme ............................................................................................................................................ *2*
- Vergetures ............................................................................................................................................ *2*

### 7. Quel diagnostic suspectez-vous ? *(5)*

- **Ostéonécrose aseptique** de hanche droite .................................................................................. *5*

### 8. Quels sont les examens complémentaires qui vont vous permettre de poser le diagnostic ? *(10)*

- Radiographies standard bassin et hanche droite .............................................................................. *5*
- IRM hanches ......................................................................................................................................... *5*
- Scintigraphie osseuse ......................................................................................................................... *NC*

# Conseils du conférencier

→ *Distinguer les livédos :*
  *– réticulés (mailles fines régulières, fermées) ;*
  *– racemosa (mailles épaisses, ouvertes, asymétriques), qui sont toujours pathologiques.*

→ *Il faut toujours rechercher des signes systémiques extracutanés et d'autres lésions cutanées susceptibles d'être biopsiées (nodules).*

## >>> Items abordés dans ce dossier

**N° 116** – Pathologies auto-immunes : aspects épidémiologiques, diagnostiques et principes de traitement.

**N° 174** – Prescription et surveillance des anti-inflammatoires stéroïdiens et non stéroïdiens.

# À la Barthez

## Énoncé

Vous terminez la consultation par la visite d'un patient de 55 ans qui a pris rendez-vous car il présente une « chute de cheveux » depuis 3 mois.

Il s'agit d'un homme en bon état général. Il est suivi à l'hôpital pour une maladie de Crohn depuis 15 ans, ainsi que pour une cardiopathie ischémique pour laquelle un stent actif a été posé il y a 5 ans. Son tabagisme est sevré depuis 5 ans, il présente également une hypercholestérolémie.

Ses traitements sont les suivants : mésalazine (Pentasa®), aspirine (Aspegic®), statine (Crestor®).

Il est marié, a 4 enfants, est ingénieur informatique. Il mesure 1 m 80 pour 95 kg. Son médecin lui a conseillé de faire un régime, qu'il suit depuis 1 an.

Il se plaint de cette « chute de cheveux » diffuse, qui le gêne peu dans sa vie quotidienne mais dont il aimerait connaître l'origine.

 Questions

1. Quels éléments cliniques allez-vous rechercher pour vous orientez devant cette alopécie ?
2. Vous vous retrouvez devant une alopécie diffuse à prédominance temporale, non cicatricielle. Le reste de l'examen est normal. Quelles sont les causes possibles de ce tableau ?
3. Il vous informe qu'en ce moment il est très fatigué, s'essouffle parfois à l'effort et a des vertiges quand il se lève. Quelle cause pourrait expliquer ces symptômes et l'alopécie ? Quelles pourraient en être l'origine chez ce patient ?
4. Vos examens permettent de confirmer votre diagnostic. Quel traitement allez-vous entreprendre ?

Votre prise en charge va permettre progressivement la repousse des cheveux. Cinq ans plus tard, il revient vous voir, car il a de nouveau constaté une chute des cheveux. Celle-ci est circonscrite et touche les golfes temporaux. Le vertex commence également à être touché.

Le cuir chevelu sous-jacent est sain, le test de traction est négatif.

Le patient vous informe qu'il se sent bien. Son dernier bilan biologique est normal.

5. Quel diagnostic suspectez-vous ?
6. Quels examens réalisez-vous pour confirmer votre diagnostic ?
7. Quel traitement pouvez-vous lui prescrire ?

## Première lecture et réflexes

- FR cardio-vasculaires : bilan évolutif de réévaluation.

- Poids et taille : calcul de l'IMC = $P/T^2$.

- Régime : carence ?

## Réponses

**1. Quels éléments cliniques allez-vous rechercher pour vous orientez devant cette alopécie ?** *(20)*

▨ Interrogatoire :
– ATCD familiaux : alopécie androgénogénétique, dysthyroïdie ......................................................... **2**
– régime alimentaire (recherche de carences) ................................................................................. **2**
– histoire de la maladie : évolution, facteur déclenchant ................................................................. **2**
– signes fonctionnels : prurit ......................................................................................................... **NC**

▨ Examen dermatologique de tout le tégument et des phanères :
– type : **diffuse ou localisée** ....................................................................................................... **3**
– **cicatricielle ou non cicatricielle** selon l'aspect du cuir chevelu sous-jacent ................................ **3**
– aspect des cheveux (cassants, en point d'exclamation) ................................................................ **3**
– test de traction ......................................................................................................................... **1**
– lampe de Wood ......................................................................................................................... **1**
– atteinte des autres phanères ...................................................................................................... **1**

▨ Examen physique orienté : ......................................................................................................... **2**
– palpation thyroïde
– recherche de saignement digestif
– arthralgies

*Remarque :* organiser la question selon l'interrogatoire, l'examen cutané et l'examen général avec éléments orientés.

**2. Vous vous retrouvez devant une alopécie diffuse à prédominance temporale, non cicatricielle. Le reste de l'examen est normal. Quelles sont les causes possibles de ce tableau ?** *(18)*

▨ Alopécie androgénogénétique ...................................................................................................... **5**

▨ Effluvium télogène ................................................................................................................... **5**

▨ Carence martiale ..................................................................................................................... **5**

▨ Dysthyroïdie ............................................................................................................................ **2**

▨ Iatrogène ................................................................................................................................ **1**

**3. Il vous informe qu'en ce moment il est très fatigué, s'essouffle parfois à l'effort et a des vertiges quand il se lève. Quelle cause pourrait expliquer ces symptômes et l'alopécie ? Quelles pourraient en être l'origine chez ce patient ?** *(15)*

▨ **Anémie chronique par carence martiale** ................................................................................. **5**

▨ Origines possibles :
– carence d'apport sur régime ...................................................................................................... **3**
– saignement digestif sur MICI ..................................................................................................... **3**
– favorisé par les antiagrégants plaquettaires ................................................................................ **1**
– malabsorption sur MICI ............................................................................................................. **3**

### 4. Vos examens permettent de confirmer votre diagnostic. Quel traitement allez-vous entreprendre ? *(13)*

■ Traitement ambulatoire ................................................................................................................................ *NC*

■ Traitement oral : **supplémentation en fer** pour 6 mois ................................................................. *5*

■ **Traitement étiologique :**
− consultation gastro-entérologue pour réévaluation de la maladie de Crohn et endoscopie digestive si suspicion de saignement chronique digestif ................................................................................................ *3*
− enquête diététique pour évaluation des apports ................................................................................ *3*

■ Surveillance de la tolérance .................................................................................................................... *2*

---

### 5. Quel diagnostic suspectez-vous ? *(10)*

■ **Alopécie androgénogénétique** ......................................................................................................... *10*

---

### 6. Quels examens réalisez-vous pour confirmer votre diagnostic ? *(10)*

■ Aucun ............................................................................................................................................................. *5*

■ Diagnostic clinique .................................................................................................................................... *5*

---

### 7. Quel traitement pouvez-vous lui prescrire ? *(14)*

■ Traitement ambulatoire ............................................................................................................................ *NC*

■ En fonction de la gêne ressentie par le patient : ............................................................................ *2*
− traitement local :
  • minoxidil × 2/jour (effets au bout de 3 mois) ............................................................................. *5*
− traitement systémique :
  • finastéride (inhibiteur de la 5-alpha réductase) ...................................................................... *5*
− traitement uniquement suspensif ......................................................................................................... *2*

■ Surveillance ................................................................................................................................................... *NC*

---

## Conseils du conférencier

➜ *Dossier monothématique sans difficulté particulière.*

➜ *Recenser les causes possibles de carence martiale : apports, pertes, absorption.*

➜ *Devant alopécie :*
  − *distinguer les alopécies cicatricielles et non cicatricielles ;*
  − *puis formes localisées ou diffuses.*

➜ *Reporter les diagnostics des questions 3 et 5 à la question 2.*

---

### ⟩⟩⟩ Items abordés dans ce dossier

**N° 222** − Anémie par carence martiale.

**N° 288** − Troubles des phanères.

**N° 297** − Anémie.

# Ça se complique

## Énoncé

Vous êtes amené à mener une étude visant à tester une nouvelle technique de traitement B des carcinomes baso-cellulaires (CBC). Vous disposez d'un traitement de référence A, utilisé en pratique courante.

L'étude va consister à traiter une population de patients atteints de CBC par l'une ou l'autre technique et observer le taux de récidive dans les 10 ans.

## Questions

**1.** Quels sont les sous-types histologiques de CBC ?

**2.** Quel est votre traitement de référence A ?

**3.** Quels sont les objectifs de votre étude ?

**4.** Lors de la planification de l'étude, vous désirez obtenir et maintenir la meilleure comparabilité des groupes possible. Dans ce type d'étude, comment peut-on procéder ?

**5.** Vous souhaitez minimiser au mieux les biais. Qu'est ce qu'un biais et quels sont les biais possibles dans ce type d'étude ?

Vous faites partie des médecins qui incluent les patients. Lors de votre consultation, vous voyez un patient qui présente une lésion de la joue droite (*voir photo*). Décrivez cette lésion. Votre externe prend alors le cahier d'inclusion et commence à le remplir, le patient étant d'accord pour entrer dans l'étude.

**Voir version en couleurs en fin d'ouvrage.**

**6.** Que lui dites-vous ?

**7.** Vous allez inclure ce patient. Sous quelles conditions ?

**8.** À la fin de l'étude, vous disposez des données et commencez votre analyse. Quelle est votre hypothèse nulle ? Les statisticiens vous précisent les risques de 1re et 2de espèce. À quoi correspondent-ils ?

**9.** Après vos analyses, vous trouvez des résultats non significatifs. À quoi cela peut-il être dû ?

# Première lecture et réflexes

- Objectifs étude : PICO :
  - patient : population d'étude ;
  - intervention : intervention testée ;
  - comparateur : intervention contrôlée (ou placebo) ;
  - *outcome* : critère de jugement principal.

- Inclusion protocole :
  - critères inclusion et exclusion ;
  - consentement.

## Réponses

**1. Quels sont les sous-types histologiques de CBC ?** *(8)*

- Nodulaire ..................................................................................................................... **2**
- Superficiel ..................................................................................................................... **2**
- Sclérodermiforme ..................................................................................................................... **2**
- Infiltrant ..................................................................................................................... **2**
- Autres formes : métatypique, de Pinkus, mixte (association avec un épidermoïde) ..................... **NC**

**2. Quel est votre traitement de référence A ?** *(10)*

- **Exérèse chirurgicale** de la lésion en totalité avec marges de sécurité et analyse histologique ..................... **10**

**3. Quels sont les objectifs de votre étude ?** *(12)*

- Étudier l'efficacité du traitement B ..................................................................................................................... **3**
- Par rapport au traitement de référence A ..................................................................................................................... **3**
- Chez des patients atteints de CBC ..................................................................................................................... **3**
- Sur le taux de récidive à 10 ans ..................................................................................................................... **3**

**4. Lors de la planification de l'étude, vous désirez obtenir et maintenir la meilleure comparabilité des groupes possible. Dans ce type d'étude, comment peut-on procéder ?** *(9)*

- Comparabilité initiale : **randomisation** ..................................................................................................................... **3**
- Maintien au cours de l'étude : **aveugle** du patient, du médecin et de l'évaluateur ..................... **3**
- Analyse : **intention de traiter** ..................................................................................................................... **3**

**Remarque :** *l'aveugle du médecin est difficile dans cette situation.*

**5. Vous souhaitez minimiser au mieux les biais. Qu'est ce qu'un biais et quels sont les biais possibles dans ce type d'étude ?** *(11)*

- Biais : déviation systématique des résultats ................................................................................................................ *2*

- Biais possibles :
- – sélection ..................................................................................................................................................................... *3*
- – classement ............................................................................................................................................................... *3*
- – confusion .................................................................................................................................................................. *3*

---

**6. Que lui dites-vous ?** *(17)*

- Description :
- – lésion papuleuse érythémateuse régulière ............................................................................................................ *3*
- – bordée par perle translucide ................................................................................................................................. *3*
- – parsemée de télangiectasies .................................................................................................................................. *3*

- **Carcinome basocellulaire** de la joue droite probable ...................................................................................... *2*

- Pas d'inclusion tant que pas de diagnostic définitif ................................................................................................. *3*

- **Analyse anatomopathologique indispensable** pour le diagnostic .............................................................. *3*

---

**7. Vous allez inclure ce patient. Sous quelles conditions ?** *(9)*

- Critères d'inclusion tous présents .............................................................................................................................. *3*

- Pas de critères d'exclusion ......................................................................................................................................... *3*

- Accord écrit du patient avec lecture attentive du protocole .................................................................................. *3*

---

**8. À la fin de l'étude, vous disposez des données et commencez votre analyse. Quelle est votre hypothèse nulle ? Les statisticiens vous précisent les risques de 1re et 2de espèce. À quoi correspondent-ils ?** *(15)*

- Hypothèse nulle :
- – il n'existe pas de différence du taux de récidive entre les deux groupes ........................................................... *5*

- Risque de 1re espèce = alpha :
- – probabilité de conclure à une différence alors qu'elle n'existe pas ..................................................................... *5*

- Risque de 2de espèce = béta :
- – probabilité de ne pas conclure à une différence alors qu'elle existe ................................................................. *5*

---

**9. Après vos analyses, vous trouvez des résultats non significatifs. À quoi cela peut-il être dû ?** *(9)*

- Absence de différence entre les 2 traitements ......................................................................................................... *3*

- Manque de puissance .................................................................................................................................................. *3*

- Présence de biais ......................................................................................................................................................... *3*

# Conseils du conférencier

➜ *Carcinome basocellulaire :*
  – *item susceptible de tomber en iconographie, car description typique ;*
  – *diagnostic histologique ;*
  – *ne pas confondre sous-types cliniques et histologiques ;*
  – *le traitement de choix reste la chirurgie.*
➜ *Items classiques de LCA - essai thérapeutique :*
  – *définition des objectifs ;*
  – *biais et minimisation des biais ;*
  – *définition des risques.*

## ⟫⟫ Référence

Recommandations pour la pratique clinique. *Carcinome basocellulaire.* ANAES, 2004.

## ⟫⟫ Item abordé dans ce dossier

**N° 149** – Tumeurs cutanées, épithéliales et mélaniques.

## Énoncé

Vous êtes appelé par votre collègue pour donner un avis dermatologique concernant une femme de 45 ans qui aurait des « problèmes de peau ».

Il s'agit d'une femme sans antécédent, qui ne prend aucun traitement. Elle est tabagique et fume 5 cigarettes par jour depuis 15 ans. Elle est en hôpital de jour en gastro-entérologie pour exploration d'une dysphagie aux solides et aux liquides. Une endoscopie haute est prévue.

On vous appelle car, au cours de l'interrogatoire, elle signale avoir remarqué que sa peau s'était épaissie depuis plusieurs mois. Elle vous signale que ses doigts et orteils changent de couleur au froid, et ce depuis l'adolescence.

En l'examinant, vous remarquez que sa peau est scléreuse, sur le haut du tronc. Le visage de la patiente est figé, et le nez effilé.

## Questions

1. Que vous évoquent les manifestations touchant les extrémités de la patiente ? Dans quel cadre plus général sont-elles susceptibles de s'inscrire ?
2. Quels éléments de l'examen physique allez-vous rechercher pour étayer ce diagnostic ?

Votre examen vous conforte dans vos hypothèses. Vous informez votre collègue que des explorations complémentaires sont nécessaires. Il vous demande à quelles complications sa patiente est potentiellement exposée.

3. Que lui répondez-vous ?
4. Quels examens orientés prescrivez-vous ?

Les EFR vous montrent ces résultats :
– CVT à 104 % ;
– VEMS à 98 % ;
– Tiffeneau normal ;
– DLCO à 36 % avec DLCO/VA à 47 % ;
– $PO_2$ à 93 mm Hg.

5. Comment les interprétez-vous ?
6. Quels sont les deux examens de $1^{re}$ intention qui vous permettraient d'explorer ces anomalies ?
7. Quelle prise en charge thérapeutique allez-vous programmer ?

C'est votre collègue qui la suit. Quelques semaines plus tard, il vous informe que la patiente a été hospitalisée en réanimation pour une insuffisance rénale aiguë oligoanurique avec une poussée d'HTA maligne. Il est surpris car il venait de la voir deux semaines plus tôt, et avait introduit une corticothérapie générale.

Vous passez en réanimation mais ne pouvez pas la voir car elle fait une crise convulsive généralisée.

**8.** Quelle complication suspectez-vous ?

**9.** Sur le bilan du jour, vous voyez : plaquettes 56 000/mm$^3$, Hb 8 g/dL. Qu'est ce que cela vous évoque ? Quel examen les réanimateurs vont demander en urgence pour le confirmer ?

# Première lecture et réflexes

- Le diagnostic de sclérodermie systémique doit être évoqué rapidement :
  - peau « scléreuse » ;
  - Raynaud ;
  - atteinte digestive ;
  - puis à la lecture de tout le dossier, atteintes pulmonaire et rénale.

- Ne pas oublier le sevrage tabagique après le calcul de dose.

## Réponses

**1. Que vous évoquent les manifestations touchant les extrémités de la patiente ? Dans quel cadre plus général sont-elles susceptibles de s'inscrire ? *(10)***

- **Phénomène de Raynaud** bilatéral et précoce ......................................................................... 5
- Dans le cadre d'une **connectivite de type sclérodermie** systémique ...................................... 5

**2. Quels éléments de l'examen physique allez-vous rechercher pour étayer ce diagnostic ? *(10)***

- Examen dermatologique, de tout le tégument et des muqueuses :
- sclérodactylie (doigts boudinés, limitation de l'ouverture) ..................................................... 3
- télangiectasies sur les extrémités ......................................................................................... 1
- absence de rides, microstomie ............................................................................................. 1
- mégacapillaires à l'œil nu ..................................................................................................... 2

- Examen général, à la recherche d'une atteinte viscérale : dyspnée, hématurie (macroscopique et à la bandelette urinaire), prise de la pression artérielle aux deux bras ................................................. 2

**3. Que lui répondez-vous ? *(13)***

- Crise rénale sclérodermique avec complications aiguës : ....................................................... 4
- HTA maligne ......................................................................................................................... 1
- microangiopathie thrombotique ............................................................................................. 1

- Complications chroniques :
- **fibrose pulmonaire avec HTAP (PMZ)** secondaire et insuffisance respiratoire ...................... 2
- HTAP isolée .......................................................................................................................... 2
- handicap et perte d'autonomie ............................................................................................. 2
- cardiopathie ......................................................................................................................... 1
- RGO et œsophagite, pullulation microbienne du grêle et diarrhée, pseudo-occlusion intestinale ............ NC
- arthralgies ............................................................................................................................ NC
- calcinose sous-cutanée ......................................................................................................... NC

**4. Quels examens orientés prescrivez-vous ? *(12)***

- Anticorps antinucléaires et antinucléaire solubles ................................................................. 2
- Anticorps anti-Scl 70 (ou anti-topoisomérase I) et anticentromère ........................................ 3
- Épreuves fonctionnelles respiratoires avec mesure DLCO/VA et radiographie thoracique .......... 2
- Échocardiographie et dosage du BNP..................................................................................... 2
- Endoscopie digestive haute .................................................................................................. 2
- Capillaroscopie .................................................................................................................... 1
- Biopsie cutanée si doute ....................................................................................................... NC

### 5. Comment les interprétez-vous ? *(15)*

■ Spirométrie normale : volumes mobilisables normaux ................................................................. **5**

■ Réduction de la DLCO et de la DLCO/VA témoignant d'une altération de la capacité d'échanges gazeux .......... **5**

■ Dans le contexte, suspicion de fibrose pulmonaire ................................................................. **5**

### 6. Quels sont les deux examens de 1re intention qui vous permettraient d'explorer ces anomalies ? *(10)*

■ TDM thoracique en coupes fines : recherche de fibrose pulmonaire (images en verre dépoli) ..................... **5**

■ Échocardiographie : recherche d'HTAP ................................................................................. **5**

### 7. Quelle prise en charge thérapeutique allez-vous programmer ? *(15)*

■ Prise en charge ambulatoire selon la symptomatologie ................................................................. *NC*

■ Prise en charge multidisciplinaire : ................................................................................. *2*
– traitement symptomatique :
  • inhibiteurs calciques si Raynaud ................................................................................. *2*
  • inhibiteurs de la pompe à protons ............................................................................... *2*
  • en cas d'HTAP, proposer prostacyclines ......................................................................... *2*
– traitement corticoïdes à discuter si atteinte pulmonaire importante (fibrose), oxygénothérapie ................. *2*
– **sevrage tabagique (PMZ)** ....................................................................................... *2*
– traitements associés : ............................................................................................. *2*
  • psychothérapie de soutien
  • kinésithérapie motrice
  • aménagement du domicile selon le handicap, ergothérapie
  • utilisation des réseaux de soins

■ Surveillance clinique et paraclinique ................................................................................. *1*

### 8. Quelle complication suspectez-vous ? *(5)*

■ **Crise rénale sclérodermique** ..................................................................................... **5**

### 9. Sur le bilan du jour, vous voyez : plaquettes 56 000/mm³, Hb 8 g/dL. Qu'est ce que cela vous évoque ? Quel examen les réanimateurs vont demander en urgence pour le confirmer ? *(10)*

■ **Microangiopathie thrombotique** compliquant une crise rénale sclérodermique ..................................... **5**

■ **Frottis** sanguin à la recherche de **schizocytes** ................................................................ **5**

# Conseils du conférencier

→ *Dossier transversal traitant de la sclérodermie systémique.*

• *Il faut distinguer les sclérodermies :*
  – *localisées cutanées pures (morphées, linéaires, monomélique, etc.) ;*
  – *systémiques caractérisées par un risque d'atteinte viscérale.*

• *Dans les formes systémiques, le pronostic dépend des atteintes :*
  – *pulmonaire ;*
  – *cardiaque ;*
  – *et surtout rénale.*

→ *La crise rénale associe HTA maligne et IRA oligoanurique et peut être déclenchée par l'introduction d'une corti-cothérapie générale à fortes doses.*

→ *La MAT sur crise rénale est secondaire, par opposition aux MAT primaires du SHU et du PTT.*

## >>> Items abordés dans ce dossier

**N° 116** – Pathologies auto-immunes : aspects épidémiologiques, diagnostiques et principes de traitement.

**N° 134** – Néphropathies vasculaires.

**N° 308** – Dysphagie.

**N° 327** – Phénomène de Raynaud.

# La licorne

## Énoncé

Vous êtes en consultation de médecine générale. Une femme s'est inscrite à votre consultation avec comme motif : « prurit. »

Il s'agit d'une femme de 52 ans qui consulte car elle présente un prurit diffus depuis 2 mois, et signale une aggravation progressive de la symptomatologie.

Elle vient de rentrer en France après un séjour de 6 mois en Côte d'Ivoire, d'où elle est originaire. Elle a comme antécédent une tuberculose pulmonaire traitée il y a 3 ans, ainsi qu'une thyroïdite de Hashimoto non suivie. Elle n'a pas vu de médecin depuis 3 ans. Elle fume 10 cigarettes par jour depuis 10 ans.

Le prurit est insomniant. Elle vit dans le même foyer depuis 2 ans.

## Questions

**1.** Quelles sont les dermatoses qui peuvent engendrer un prurit chronique diffus ?

À l'examen cutané, vous ne retrouvez aucun signe spécifique de dermatose particulière, mais uniquement des lésions secondaires au grattage.

**2.** Quelles lésions avez-vous pu retrouver ?

Tout en l'examinant, vous suspectez une cause non dermatologique et complétez votre interrogatoire.

**3.** Que recherchez-vous particulièrement à l'interrogatoire pour avancer dans votre démarche diagnostique ?

Elle vous précise qu'elle ne consomme pas d'alcool, ni aucun médicament. Elle n'a pas d'autre antécédent que ceux mentionnés dans l'énoncé. Personne ne présente de tels symptômes dans son entourage. Elle a perdu 3 kg dans le dernier mois et vous rapporte une grande asthénie. Le reste de l'examen est normal.

**4.** Quelles sont les trois causes non dermatologiques qui vous paraissent le plus probable chez cette patiente ?
**5.** Allez-vous lui prescrire des examens complémentaires, et si oui, lesquels ? Qu'en attendez-vous ?

Vous la revoyez quelques jours plus tard avec les résultats des examens et notez :
- Hb 12,3 g/dL ;
- GB 5 000/mm³ ;
- plaquettes 550 000/mm³ ;
- TSHus 3,0 mUI/L (1,5 < N < 5,5) ;
- TP 80 % ;
- VS 70 mm à la 1re heure ;
- ASAT 45 UI/L (N < 35) ;
- ALAT 65 UI/L (N < 45) ;
- PAL 560 UI/L ;
- GGT 150 mmol/L ;
- bilirubine 15 µmol/L.
Les examens d'imagerie sont normaux.

**6.** Quelle est l'origine de ce prurit et quelles en sont les étiologies ?

**7.** Vous vous orientez vers la cause auto-immune. Quel traitement pouvez-vous lui proposer ?

# Première lecture et réflexes

- Tuberculose : sérologie VIH, DO, dépistage de l'entourage.

- Bilan thyroïdien.

- Tabac : aide au sevrage et calcul de dose.

- Lésions de grattage sur prurit chronique : vérifier statut vaccinal tétanos.

## Réponses

**1. Quelles sont les dermatoses qui peuvent engendrer un prurit chronique diffus ?** *(12)*

▨ Pathologies infectieuses :
- **gale**, pédiculose **(PMZ)** ............................................................................................ *2*
- dermatophytie, teigne ....................................................................................................... *1*
- varicelle ............................................................................................................................ *NC*

▨ Lymphome cutané (mycosis fongoïde, syndrome de Sézary) ................................................ *2*

▨ Pathologies bulleuses : pemphigoïde bulleuse ....................................................................... *2*

▨ Pathologies inflammatoires chroniques :
- eczéma .............................................................................................................................. *2*
- urticaire, dermatite atopique .............................................................................................. *2*
- lichen plan ........................................................................................................................ *1*
- psoriasis (non classiquement) ............................................................................................ *NC*

▨ Mastocytose ...................................................................................................................... *NC*

---

**2. Quelles lésions avez-vous pu retrouver ?** *(10)*

▨ Lésions excoriées ................................................................................................................. *2*

▨ Stries linéaires .................................................................................................................... *2*

▨ Lésions de prurigo .............................................................................................................. *2*

▨ Lichénification .................................................................................................................... *2*

▨ Complications : impétiginisation .......................................................................................... *2*

---

**3. Que recherchez-vous particulièrement à l'interrogatoire pour avancer dans votre démarche diagnostique ?** *(16)*

▨ Antécédents :
- hémopathie ........................................................................................................................ *1*
- défaillance d'organe (insuffisance rénale, hépatique) ........................................................... *1*

▨ **Prises médicamenteuses (PMZ)** ...................................................................................... *3*

▨ Consommation d'alcool ...................................................................................................... *2*

▨ **Prurit dans l'entourage (PMZ)** ...................................................................................... *2*

▨ Histoire de la maladie :
- circonstances, facteurs déclenchants, évolution .................................................................. *2*
- contage .............................................................................................................................. *1*

▨ Signes fonctionnels :
- zones de prurit, horaires .................................................................................................... *1*
- ictère, fièvre, transit ......................................................................................................... *1*
- poids habituel, perte de poids récente ................................................................................ *2*

**4. Quelles sont les trois causes non dermatologiques qui vous paraissent le plus probable chez cette patiente ?** *(12)*

- Hémopathie ............................................................................................................................................ **4**
- Cholestase ............................................................................................................................................... **4**
- Dysthyroïdie ........................................................................................................................................... **4**

**5. Allez-vous lui prescrire des examens complémentaires, et si oui, lesquels ? Qu'en attendez-vous ?** *(20)*

- Oui ............................................................................................................................................................ **5**

- Examens complémentaires :
- biologie :
  - NFS-plaquettes : recherche de polyglobulie ................................................................................ **3**
  - créatininémie : recherche d'insuffisance rénale ......................................................................... **2**
  - bilan hépatique (bilirubine, PAL, GGT) : recherche de cholestase ........................................ **3**
  - TSHus : recherche de dysthyroïdie ............................................................................................... **3**
- radiographie thoracique : recherche d'adénopathies médiastinales ........................................ **2**
- échographie abdominale : recherche de dilatation des voies biliaires et aspect du foie ....... **2**

**6. Quelle est l'origine de ce prurit et quelles en sont les étiologies ?** *(15)*

- Origine : **cholestase intrahépatique** ................................................................................................... **5**

- Étiologies :
- hépatites (virales, alcooliques ou médicamenteuses) .................................................................. **4**
- cirrhose biliaire primitive ................................................................................................................... **4**
- infiltration hépatique granulomateuse ............................................................................................ **2**

**7. Vous vous orientez vers la cause auto-immune. Quel traitement pouvez-vous lui proposer ?** *(15)*

- Traitement ambulatoire ...................................................................................................................... **NC**

- Mesures hygiénodiététiques :
- arrêt des médicaments non indispensables .................................................................................... **2**
- éviction des facteurs irritants ......................................................................................................... **NC**
- ongles coupés ..................................................................................................................................... **NC**
- SAT-VAT ................................................................................................................................................ **2**

- Traitement symptomatique :
- **acide ursodésoxycholique** ............................................................................................................... **5**
- hydroxyzine ......................................................................................................................................... **2**
- émollients ............................................................................................................................................ **2**
- Surveillance clinique et biologique (enzymes hépatiques) ......................................................... **2**

# Conseils du conférencier

➜ *Prurit chronique :*
  *– causes dermatologiques (dont gale à évoquer systématiquement) ;*
  *– causes non dermatologiques.*

➜ *Dossiers sur prurit avec cause non dermatologique susceptibles d'être posés :*
  *– hémopathie (lymphome) ;*
  *– cause hépatique.*

➜ *La CBP est une pathologie touchant essentiellement les femmes dans un contexte auto-immun (thyroïdite, syndrome sec). La cholestase est intrahépatique, et se manifeste par un prurit diffus. L'ictère peut être d'apparition tardive.*

➜ *La PBH n'est pas systématique et réservée aux patients avec anticorps antimitochondrie négatifs.*

## ⟫⟫ Items abordés dans ce dossier

**N° 320** – Ictère.
**N° 329** – Prurit.

## Énoncé

Vous voyez en consultation un enfant de 2 ans pour une lésion du tronc. Il s'agit d'un petit garçon en bon état général. Il s'apprête à faire sa rentrée de septembre à la crèche et revient de vacances, qu'il a passées à la campagne chez ses grands-parents. Il est actuellement sous sirop antitussif pour bronchite déclarée après s'être baigné dans la rivière. Il a croisé des chiens, chats et chevaux à la campagne.

Sa mère vous l'amène car elle a constaté depuis 48 h une lésion arrondie avec une périphérie discrètement squameuse de 3 cm de diamètre sur le tronc. Cette lésion est peu prurigineuse. Il n'est pas fébrile. Le reste de votre examen est normal : il s'agit d'un garçon en bonne santé mesurant 85 cm pour 12 kg. Il présente seulement une toux productive modérée. L'auscultation pulmonaire retrouve quelques discrets râles bronchiques.

##  Questions

**1.** Quelles sont vos hypothèses diagnostiques devant une telle lésion ?

Vous décidez de le convoquer à nouveau 2 jours après. Cette fois-ci, il présente une éruption maculopapuleuse diffuse sur le tronc et la racine des membres. Le visage est épargné. Le prurit est peu intense. La lésion que vous aviez constatée est toujours en place.

**2.** Quel est votre diagnostic ? Sur quels arguments ?
**3.** Sa maman s'inquiète de l'évolution de la pathologie. Que lui répondez-vous ?

Elle décide de vous garder comme dermatologue. Vous la revoyez donc 1 an plus tard. Elle vous amène cette fois-ci son mari car il présente une lésion sensible de l'index droit depuis 1 semaine, apparue brutalement. Il vous signale qu'elle semble grossir et que ce matin, la lésion s'est mise à saigner. Vous voyez la lésion (*voir photo*).

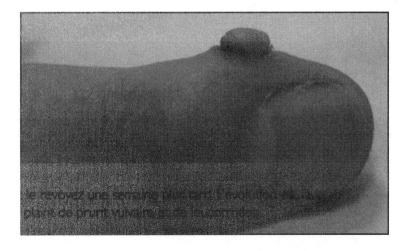

**Voir version en couleurs en fin d'ouvrage.**

**4.** Comment décririez-vous la lésion ?

**5.** Quel est le diagnostic le plus probable ?

Vous le traitez avec succès. Mais la famille revient vous voir 2 mois plus tard, car le petit garçon présente cette fois-ci une dizaine de lésions du tronc ressemblant à la lésion de l'énoncé initial.

Il revient de nouveau de chez ses grands parents. L'éruption est beaucoup plus prurigineuse. Il est en bon état général par ailleurs, et n'est pas fébrile. Sa maman vous signale qu'il semble que son petit-cousin avec qui il était en vacances ait une lésion du même type sur le bras.

**6.** Quel diagnostic évoquez-vous cette fois-ci ?

**7.** Sur quels arguments ?

**8.** Quel(s) examen(s) prescrivez-vous ?

**9.** Quels agents sont possiblement responsables de cette pathologie ?

**10.** Quelle est votre prise en charge thérapeutique ?

# Première lecture et réflexes

- Trois parties distinctes et indépendantes.

- La réponse 1 doit cependant regrouper les réponses des questions 2 et 6.

- Pédiatrie.

- Campagne/animaux : infections atypiques (bactérienne/virale/fongique/parasitaire).

- Description de la photographie :
  – lésion élémentaire ;
  – taille ;
  – couleur ;
  – localisation.

## Réponses

**1. Quelles sont vos hypothèses diagnostiques devant une telle lésion ?** *(12)*

- Dermatophytose ................................................................................................................................ 3

- Eczéma débutant .............................................................................................................................. 3

- Pityriasis rosé de Gibert (PRG) débutant .................................................................................... 3

- Virose ................................................................................................................................................... 3

**2. Quel est votre diagnostic ? Sur quels arguments ?** *(15)*

- **Pityriasis rosé de Gibert** ....................................................................................................... *5*

- Arguments :
  – saison ............................................................................................................................................ *1*
  – terrain ........................................................................................................................................... *1*
  – lésion initiale en médaillon de grande taille .......................................................................... *2*
  – évolution avec une éruption diffuse ....................................................................................... *2*
  – respect du visage et des extrémités ........................................................................................ *2*
  – peu de prurit ................................................................................................................................ *1*
  – argument de fréquence .............................................................................................................. *1*
  – contexte viral possible ........................................................................................................... *NC*

**3. Sa maman s'inquiète de l'évolution de la pathologie. Que lui répondez-vous ?** *(10)*

- **Évolution favorable** ................................................................................................................ *2*

- Spontanément ................................................................................................................................. *2*

- Pas de traitement spécifique ....................................................................................................... *2*

- Pas de complications en dehors du prurit ............................................................................. *NC*

- Extension initiale de l'éruption possible ................................................................................... *2*

- Récidive possible ............................................................................................................................. *1*

- Pas de contagion ............................................................................................................................. *1*

### 4. Comment décririez-vous la lésion ? *(5)*

■ Lésion papulonodulaire charnue : ......................................................................................... **3**
– régulière ....................................................................................................................................... **1**
– de la pulpe index droit ............................................................................................................... **1**

### 5. Quel est le diagnostic le plus probable ? *(5)*

■ **Botryomycome** de l'index droit ......................................................................................... **5**

### 6. Quel diagnostic évoquez-vous cette fois-ci ? *(10)*

■ **Dermatophytose** cutanée ................................................................................................... **10**

### 7. Sur quels arguments ? *(7)*

■ Lésions érythémato squameuses prurigineuses de la peau glabre ........................................ **2**
– multiples ...................................................................................................................................... **1**
– de la peau glabre ....................................................................................................................... **1**
■ Notion de contage (animal et humain) ................................................................................. **2**
■ Fréquence et terrain .................................................................................................................. **1**

### 8. Quel(s) examen(s) prescrivez-vous ? *(10)*

■ Examen mycologique : ............................................................................................................. **5**
– après prélèvement par grattage d'une lésion .................................................................... **NC**
– avant tout traitement ................................................................................................................ **1**
■ Examen direct (filaments mycéliens) ..................................................................................... **2**
– et culture sur Sabouraud .......................................................................................................... **2**
■ Examen mycologique identique chez le cousin ................................................................... **NC**

### 9. Quels agents sont possiblement responsables de cette pathologie ? *(9)*

■ Agents zoophiles :
– *Microsporum canis* ................................................................................................................. **3**
– *Trichophyton mentagrophytes* .............................................................................................. **3**
■ Agents anthropophiles :
– *Trichophyton rubrum* .............................................................................................................. **3**

**Remarque :** *l'enfant a pu contracter le parasite par l'intermédiaire de son cousin ou directement par contact avec l'animal.*

**10. Quelle est votre prise en charge thérapeutique ?** *(17)*

- Ambulatoire ................................................................................................................................. *1*

- Traitement local : **antifongique local** type éconazole pendant 21 jours .................................. *5*

- **Traitement systémique** (car nombreuses lésions) : griséofulvine 10 à 20 mg/kg/jour au milieu des repas pendant 21 jours ......................................................................................................................... *5*

- Examen du cousin et traitement le cas échéant ......................................................................... *3*

- Traitement des animaux responsables ....................................................................................... *2*

- Surveillance ................................................................................................................................. *1*

---

## Conseils du conférencier

→ *Première partie : le PRG est une pathologie relativement fréquente, touchant les enfants et les adultes jeunes, le plus souvent en période automnale. L'information sur la pathologie est un élément-clé du traitement.*

→ *Deuxième partie : le botryomycome apparaît le plus souvent après un traumatisme, chez les enfants ou les adultes, sur les extrémités. Le traitement peut être l'abstention, le traitement local par nitrate d'argent ou la chirurgie.*

→ *Troisième partie : ne pas oublier la prise en charge du cousin et de l'animal éventuellement responsable.*

---

### >>> Item abordé dans ce dossier

**N° 87** – Infections cutanéo-muqueuses bactériennes et mycosiques.

## Énoncé

Vous voyez un patient de 37 ans en consultation pour des lésions buccales. Il est d'origine turque et travaille comme commercial. Il n'a pas d'antécédent familial en dehors d'une phlébite chez son frère. Lui-même a été suivi en ophtalmologie il y a 3 ans pour un « problème à l'œil gauche ». À cette époque, il avait consulté car son œil gauche était devenu brutalement rouge et douloureux.

Il se plaint depuis 6 mois de lésions buccales à type d'ulcérations douloureuses de la face interne jugale et de la gencive libre. Il a déjà eu 4 poussées en 6 mois.

À l'examen, vous constatez qu'il s'agit d'un patient en bon état général. Il présente effectivement des lésions érosives arrondies à pourtour érythémateux et fond jaunâtre de la face interne des joues. Ces lésions l'empêchent de manger des aliments solides.

 **Questions**

**1.** Quel est votre diagnostic lésionnel ?

**2.** Quelles sont les étiologies de cette affection lorsqu'elle est récidivante ?

**3.** Pour vous orienter, vous revoyez ses antécédents. Quelles sont les causes possibles d'un œil rouge et douloureux ?

Vous revoyez le compte-rendu de l'ophtalmologiste et constatez qu'il s'agissait d'une uvéite antérieure aiguë, avec récupération totale de l'acuité visuelle.

**4.** Quel est le diagnostic étiologique le plus probable ?

**5.** Que recherchez-vous à l'examen dermatologique pour conforter votre hypothèse ?

**6.** Le patient vous demande quelles sont les complications auxquelles il est exposé. Que lui répondez-vous ?

Quelques mois plus tard, alors que le patient n'a plus présenté de lésion buccale depuis la dernière poussée, il revient vous voir en consultation pour des lésions génitales apparues depuis une semaine, très douloureuse.
Il vous montre des érosions du gland en bouquet douloureuses. Il vous précise qu'il a présenté tout au début des petites cloques en tête d'épingle. Il a déjà eu un épisode du même type il y a 6 ans. Il est subfébrile à 38 °C.

**7.** Quel diagnostic suspectez-vous ?

**8.** Il voudrait un traitement pour le soulager car il est très gêné. Il souhaite également savoir si vous ne pourriez pas lui prescrire un traitement qui évitera ce type d'épisode à l'avenir. Que faites-vous ?

# Première lecture et réflexes

- Œil rouge et douloureux = distinguer avec ou sans baisse de l'acuité visuelle.

- Deux parties distinctes :
  – première partie : manifestations cutanées et oculaires donc maladie systémique probable ;
  – deuxième partie, où la maladie est quiescente ; épisode aigu isolé.

## Réponses

**1. Quel est votre diagnostic lésionnel ? (10)**

■ **Aphtose** ................................................................................................................ **5**
– buccale .................................................................................................................. **5**

**2. Quelles sont les étiologies de cette affection lorsqu'elle est récidivante ? (20)**

■ Maladie de Behçet ................................................................................................ **5**

■ MICI (Crohn), maladie cœliaque ......................................................................... **5**

■ Médicaments ....................................................................................................... **5**

■ Infection VIH ....................................................................................................... **3**

■ Pathologie hématologique : agranulocytose, Biermer ......................................... **2**

**3. Pour vous orienter, vous revoyez ses antécédents. Quelles sont les causes possibles d'un œil rouge et douloureux ? (10)**

■ Œil rouge douloureux avec baisse de l'acuité visuelle :
– uvéite aiguë ........................................................................................................ **3**
– kératite aiguë ..................................................................................................... **3**
– glaucome aigu par fermeture de l'angle .............................................................. **3**

■ Œil rouge douloureux sans baisse d'acuité visuelle :
– épisclérite ........................................................................................................... **1**

**4. Quel est le diagnostic étiologique le plus probable ? (10)**

■ **Maladie de Behçet** ......................................................................................... **10**

**5. Que recherchez-vous à l'examen dermatologique pour conforter votre hypothèse ? (12)**

■ Examen de tout le tégument et des muqueuses : ................................................. **NC**
– **recherche d'ulcérations génitales (PMZ)** ..................................................... **5**
– pseudofolliculite (pustules non centrées par un follicule pileux) ......................... **3**
– hypersensibilité cutanée avec pathergie test ...................................................... **2**
– érythème noueux ................................................................................................ **2**

*Remarque :* l'absence de ces signes n'élimine pas le diagnostic.

**6. Le patient vous demande quelles sont les complications auxquelles il est exposé. Que lui répondez-vous ?** *(19)*

▨ Manifestations oculaires ............................................................................................................ *4*

▨ Manifestations neurologiques (thrombophlébites, atteinte du SNC, méningites) ...................... *5*

▨ Manifestations vasculaires (thromboses veineuses, artérielles) ................................................ *5*

▨ Manifestations articulaires ......................................................................................................... *2*

▨ Plus rares : manifestations cardiaques, pulmonaires (vasculaires), entéroBehçet .................. *3*

---

**7. Quel diagnostic suspectez-vous ?** *(10)*

▨ **Récurrence herpétique génitale** ...................................................................................... **10**

---

**8. Il voudrait un traitement pour le soulager car il est très gêné. Il souhaite également savoir si vous ne pourriez pas lui prescrire un traitement qui évitera ce type d'épisode à l'avenir. Que faites-vous ?** *(9)*

▨ Traitement de l'épisode :
– ambulatoire ....................................................................................................................... *NC*
– **antiviral** aciclovir 200 mg × 5/jour pendant 5 jours ou valaciclovir 1 000 mg/jour pendant 5 jours ..................... *3*
– traitement antalgique palier II ............................................................................................. *2*

▨ Traitement préventif :
– uniquement si **plus de 6 récurrences par an** ...................................................................... *3*
– traitement antiviral uniquement suspensif .......................................................................... *NC*
– pas d'indication pour le moment ......................................................................................... *1*

***Remarque :*** *les doses ne sont pas à connaître.*

## Conseils du conférencier

➡ *L'aphtose se caractérise par des lésions jugales ou gingivales douloureuses, à fond beurré, provoquant de vives douleurs lors de l'alimentation.*

➡ *Aphtose + œil = Behçet le plus souvent, qui est une vascularite des moyens vaisseaux, engendrant des manifestations cutanées, oculaires, et systémiques.*

➡ *Pour retrouver les complications du Behçet, reprendre les complications des vascularites.*

### ⟫⟫ Référence

Conférence de consensus. *Prise en charge de l'herpès cutanéo-muqueux chez le sujet immunocompétent (manifestations oculaires exclues).* HAS, 2001.

### ⟫⟫ Items abordés dans ce dossier

**N° 84** – Infections à herpès virus de l'enfant et de l'adulte immunocompétents : herpès cutané et muqueux.

**N° 343** – Ulcérations ou érosions des muqueuses orales et/ou génitales.

# Dracula

## Énoncé

Cette fois-ci, vous êtes aux urgences générales. Un patient de 28 ans se présente car il saigne des gencives depuis 2 jours. Avant cela, il était en bonne santé. Il est étudiant en histoire de l'art, est célibataire sans enfant. Il ne fume pas et consomme de l'alcool de manière occasionnelle.

Il ne prend aucun médicament, en dehors d'une prise d'ibuprofène il y a 1 semaine pour une contracture musculaire.

Vous décidez de le prendre en charge. Vous trouvez dans le box un homme de 65 kg pour 1 m 75, asthénique. Vous constatez en effet des gingivorragies modérées et une hypertrophie gingivale.

## Questions

**1.** Quelles sont les causes d'hypertrophie gingivale les plus fréquentes ?

**2.** Vous constatez aussi ces lésions sur les bras (*voir photo*). Décrivez-les.

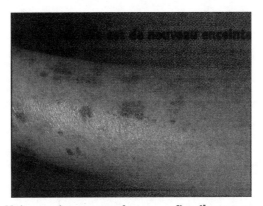

**Voir version en couleurs en fin d'ouvrage.**

**3.** Parmi les hypothèses initiales, lesquelles restent possibles ? Quel(s) examen(s) va (vont) vous permettre de les distinguer ?

**4.** L'examen que vous avez demandé est anormal. Comment complétez-vous votre examen physique ?

**5.** Quel va être l'examen-clé à programmer ?

Quelques semaines plus tard, vous prenez de ses nouvelles. Il a reçu un protocole associant cytarabine (Aracytine®) et anthracyclines. Il se plaint de douleurs buccales intenses et vous constatez de petites ulcérations jugales et palatines. Il arrive quand même à avaler la nourriture.

**6.** De quoi s'agit-il ? Quelles en sont les étiologies possibles ?

À la même occasion, votre collègue s'inquiète car il a observé chez son patient des placards palmoplantaires papuleux et parfois squameux. Il a même remarqué une bulle plantaire ce matin. Le patient se plaint de dysesthésies palmaires et plantaires.

**7.** À quoi pensez-vous ?

Enfin, il vous fait remarquer une alopécie diffuse non cicatricielle qui a rapidement débuté après le début du traitement.

**8.** Quelles mesures associées prenez-vous par rapport à l'alopécie et que dites-vous au patient quant au devenir de cette alopécie ?

# Première lecture et réflexes

- Hypertrophie gingivale = hémopathie.
- Médicament : imputabilité, contre-indication ultérieure ?
- Poids et taille : calcul de l'IMC = $P/T^2$.
- Purpura :
  – infiltré ou non infiltré ;
  – dosage plaquettes avec frottis et tube citraté.
- Cytopénie(s) : évaluation du retentissement.

## Réponses

**1. Quelles sont les causes d'hypertrophie gingivale les plus fréquentes ?** *(12)*

- Médicamenteuse (ciclosporine, phénytoïne) ......................................................... *3*
- Hémopathie ......................................................................................................... *5*
- Carentielle (scorbut) .......................................................................................... *3*
- Idiopathique ....................................................................................................... *1*

**Remarque :** *en cas de doute, passer en revue les étiologies générales des pathologies (vasculaire, infectieuse, traumatique, toxique, auto-immune, métabolique, néoplasique, carentielle, idiopathique).*

**2. Vous constatez aussi ces lésions sur les bras. Décrivez-les.** *(10)*

- Lésions **purpura pétéchial** ................................................................................ *5*
- ecchymotiques .................................................................................................... *1*
- non infiltrées ...................................................................................................... *4*

**Remarque :** *question simple sur le purpura.*

**3. Parmi les hypothèses initiales, lesquelles restent possibles ? Quel(s) examen(s) va (vont) vous permettre de les distinguer ?** *(14)*

- Hémopathie maligne ........................................................................................... *2*
- Scorbut ............................................................................................................... *2*
- Examen paraclinique :
- NFS **plaquettes** avec **frottis sanguin** et examen sur tube citraté pour recherche de thrombopénie ......... *5*
- **en urgence** ...................................................................................................... *5*

**4. L'examen que vous avez demandé est anormal. Comment complétez-vous votre examen physique ?** *(15)*

- Recherche de signes de **complications** :
- anémie : pâleur cutanée et conjonctivale, dyspnée ................................................ *3*
- infection : température, PA, signes de sepsis ......................................................... *3*
- saignements extériorisés (digestifs) ..................................................................... *3*
- Palpation des aires ganglionnaires ....................................................................... *3*
- Palpation hépatosplénique ................................................................................... *2*
- Auscultation pulmonaire ...................................................................................... *1*

**5. Quel va être l'examen-clé à programmer ?** *(10)*

■ **Myélogramme** avec études cytologique, cytochimique, immunologique et cytogénétique ..................................... **10**

**6. De quoi s'agit-il ? Quelles en sont les étiologies possibles ?** *(15)*

■ **Mucite** grade II .................................................................................................................................................. **5**

■ Étiologies :
– neutropénie ......................................................................................................................................................... **5**
– effets secondaires des chimiothérapies ............................................................................................................. **5**

**7. À quoi pensez-vous ?** *(10)*

■ **Syndrome mains-pieds** ....................................................................................................................................... **8**
– lié aux anthracyclines ......................................................................................................................................... **2**

**8. Quelles mesures associées prenez-vous par rapport à l'alopécie et que dites-vous au patient quant au devenir de cette alopécie ?** *(14)*

■ Mesures associées :
– casque réfrigérant .............................................................................................................................................. **4**
– prescription d'une prothèse capillaire ................................................................................................................ **4**

■ Devenir de l'alopécie :
– effet secondaire classique de la chimiothérapie ................................................................................................ **NC**
– repousse des cheveux ......................................................................................................................................... **3**
– délai variable après la fin du traitement ............................................................................................................. **3**

## Conseils du conférencier

➜ *Dossier d'hémato-oncologie plus complexe.*

➜ *Grande partie du dossier du domaine de l'oncologie, mais ces problèmes cutanés de mucite et d'effets secondaires des chimiothérapies sont du ressort de la pratique quotidienne, surtout avec le développement des thérapies ciblées.*

➜ *Penser systématiquement dans ce contexte à :*
   *– éruption spécifique à la néoplasie ;*
   *– éruption liée aux effets secondaires des traitements ;*
   *– éruption infectieuse liée à l'immunosuppression.*

### >>> Référence

*Lecture critique de l'hémogramme : valeurs seuils à reconnaître comme probalement pathologiques et principales variations non pathologiques. ANAES, 1997.*

### >>> Items abordés dans ce dossier

**N° 330** – Purpura chez l'enfant et chez l'adulte.

**N° 335** – Thrombopénie.

**N° 343** – Ulcérations ou érosions des muqueuses orales et/ou génitales.

## Fleurs de mai

### Énoncé

Un jeune patient de 35 ans consulte pour des douleurs buccales.

Il s'agit d'un patient, travaillant comme serveur, célibataire, ne prenant aucun traitement. Dans ses antécédents, il rapporte un épisode de paralysie faciale *a frigore* il y a 2 ans. Il se plaint de ces douleurs buccales depuis 3 semaines, et cela a tendance à s'aggraver.

Cliniquement, vous observez une stomatite érythémateuse franche, étendue, avec un dépôt blanchâtre sur le pharynx, et des plaques rouges sur la langue et les joues. Il est asthénique et rapporte avoir perdu 5 kg en 2 mois. Vous percevez des adénopathies centimétriques cervicales.

 ### Questions

**1.** Quel est votre diagnostic concernant les lésions buccales ?

**2.** Quel(s) examen(s) pourrai(en)t vous permettre de poser définitivement le diagnostic ?

En l'examinant entièrement, vous constatez également des lésions papuleuses rosées d'environ 2 mm de diamètre, ombiliquées en leur centre. Elles sont situées en région cervicale et sur le visage. Les lésions sont peu nombreuses (environ une dizaine) et asymptomatiques.

**3.** Quel est votre diagnostic concernant ces lésions ? À quoi sont-elles dues ?

**4.** Quel traitement pouvez-vous lui proposer ?

**5.** Prescrivez-vous un autre examen à ce patient ? Si oui, lequel et pourquoi ?

**6.** Cet examen revient positif. Cela change-t-il votre attitude thérapeutique de la question 4 ?

Quelques mois plus tard, alors que vous le suivez régulièrement, il vous montre des lésions qui le gênent : ces lésions sont des nappes infiltrées rougeâtres du palais, parfois douloureuses, ne saignant pas au contact.

**7.** Quel diagnostic évoquez-vous ?

**8.** Quel est l'agent responsable de cette affection et quelles sont les différentes formes de maladie qui existent ?

# Première lecture et réflexes

- Homme jeune + candidine = VIH.

- Infection VIH : bilan IST, dépistage partenaires, information et rapports protégés.

## Réponses

**1. Quel est votre diagnostic concernant les lésions buccales ?** *(10)*

- **Stomatite candidosique** probable ................................................................................................. **10**

**2. Quel(s) examen(s) pourrai(en)t vous permettre de poser définitivement le diagnostic ?** *(12)*

- Examen mycologique direct ...................................................................................................................... **5**
- Culture sur milieu de Sabouraud ........................................................................................................... **5**
- sur lésions prélevées par écouvillonnage ........................................................................................ **2**

**3. Quel est votre diagnostic concernant ces lésions ? À quoi sont-elles dues ?** *(10)*

- ***Molluscum contagiosum*** ................................................................................................................... **5**
- Virus de la famille des poxvirus .............................................................................................................. **5**

**4. Quel traitement pouvez-vous lui proposer ?** *(15)*

- Traitement ambulatoire ............................................................................................................................ **NC**
- Pour la stomatite candidosique, à instituer après le prélèvement local : ...................................... **NC**
- traitement local par bains de bouche antifongiques (amphotéricine B) pendant 3 semaines ...... **5**
- surveillance ................................................................................................................................................. **NC**

- Pour les *molluscum contagiosum* :
- réassurance (pas de caractère de gravité) ....................................................................................... **3**
- abstention thérapeutique ...................................................................................................................... **5**
- traitement local possible : curetage, électrocoagulation, cryothérapie ......................................... **2**

**5. Prescrivez-vous un autre examen à ce patient ? Si oui, lequel et pourquoi ?** *(20)*

- Oui ................................................................................................................................................................. **5**
- **Sérologie VIH 1 et 2 avec consentement du patient (PMZ)**, car : .......................................... **5**
- patient jeune à risque ............................................................................................................................. **2**
- altération de l'état général ...................................................................................................................... **2**
- stomatite candidosique érythémateuse et pseudo-érosive ............................................................. **2**
- *molluscum contagiosum* de l'adulte ................................................................................................... **2**
- paralysie faciale *a frigore* il y a 2 ans ayant pu signer la primo-infection ................................... **2**

**6. Cet examen revient positif. Cela change-t-il votre attitude thérapeutique de la question 4 ?** *(9)*

- Lieu de traitement : non ................................................................................................................................... *NC*

- Pour la stomatite candidosique : oui : ........................................................................................................ *2*
- traitement général associé par fluconazole *per os* pendant 7 à 10 jours ....................................... *3*

- Pour les *molluscum contagiosum* : non .................................................................................................... *2*

- Introduction d'un traitement antirétroviral à discuter ......................................................................... *2*

- Mesures associées : ......................................................................................................................................... *NC*
- dépistage des partenaires
- informations et rapports sexuels protégés
- déclaration obligatoire
- vaccinations et prophylaxie des infections opportunistes selon le taux de CD4

- Bilan IST .............................................................................................................................................................. *NC*

- Prise en charge psychologique ..................................................................................................................... *NC*

---

**7. Quel diagnostic évoquez-vous ?** *(10)*

- **Maladie de Kaposi** buccale ..................................................................................................................... **10**

---

**8. Quel est l'agent responsable de cette affection et quelles sont les différentes formes de maladie qui existent ?** *(14)*

- Agent : virus **HHV8** .................................................................................................................................... *6*

- Formes de la maladie :
- Kaposi classique méditerranéenne .............................................................................................................. *2*
- Kaposi endémique africaine ........................................................................................................................... *2*
- Kaposi post-transplantation ........................................................................................................................... *2*
- Kaposi du VIH ..................................................................................................................................................... *2*

## Conseils du conférencier

➜ *Dossier sur les infections opportunistes liées au VIH.*

➜ *1<sup>re</sup> partie : stomatite candidosique*
*La candidose buccale, lorsque très érosive, étendue, associée à une dysphagie, doit faire penser au VIH en dehors de tout autre contexte d'immunosuppression. Dans le contexte VIH, recourir à un traitement systémique.*

➜ *2<sup>e</sup> partie : molluscum contagiosum*
*Il s'agit d'une affection non rare, surtout chez les enfants. Chez l'adulte, lorsque les lésions sont nombreuses, également penser au VIH.*
*Il n'y a pas de traitement consensuel. La décision thérapeutique dépend de l'étendue des lésions et de la gêne ressentie.*

➜ *3<sup>e</sup> partie : Kaposi*
*Plusieurs formes existent (voir question 8). Dans le contexte VIH, le premier traitement consiste à rétablir une immunité. Les autres cancers associés au VIH sont : le lymphome (non hodgkinien), la maladie de Castelman, le cancer du col à HPV.*
*Les mesures associées au VIH ne sont pas comptées dans la question 6 mais restent à écrire de manière systématique.*

➜ *Noter la paralysie faciale isolée et le terrain du patient : oriente vers l'infection VIH.*

➜ *Pour les questions « traitements », traiter la question pour chaque pathologie précitée.*

**N° 85** – Infection à VIH.

**N° 87** – Infections cutanéo-muqueuses bactériennes et mycosiques.

**N° 343** – Ulcérations ou érosions des muqueuses orales et/ou génitales.

# Hamburger français

## Énoncé

En plein mois de janvier, on vous adresse en consultation un homme de 45 ans pour douleurs des mains. Il s'agit d'un homme sans antécédent, en dehors d'un asthme léger. Il fume environ 10 cigarettes par jour depuis 20 ans et travaille comme gérant d'un commerce. Il est marié et a 2 enfants en bonne santé.

Il présente depuis 6 ans des douleurs des extrémités des doigts et des orteils, qui changent de couleur au froid. Il s'est résolu à consulter car ces troubles s'aggravent depuis peu et l'handicapent dans sa vie quotidienne. Il a perdu 2 kg ce mois-ci.

Ces douleurs sont intenses et le contraignent à consommer des antalgiques de niveau II.

 **Questions**

**1.** Quel est votre diagnostic syndromique ?

**2.** Comment compléter votre interrogatoire pour avancer dans votre démarche diagnostique ?

Il vous précise au cours de l'interrogatoire qu'il a comme des crampes aux plantes de pieds et aux mollets dès lors qu'il marche plus de 200 m, et qu'elles cessent au repos. Elles prédominent au membre inférieur droit.
Vous l'examinez alors et constatez une nécrose de la pulpe de l'hallux droit, douloureuse.

**3.** Que suspectez-vous ?

**4.** Quels examens prescrivez-vous alors ?

Il ne souhaite pas faire ces examens et finit par s'en aller.
Vous le revoyez néanmoins 1 mois plus tard avec un tableau de phlébite superficielle de l'avant-bras gauche. Il vous précise qu'il a eu la même chose il y a 2 semaines au membre inférieur droit et que cela a disparu spontanément.

**5.** Sans avoir vu les examens complémentaires initialement prescrits, quel diagnostic suspectez-vous et sur quels arguments ?

**6.** Votre diagnostic se confirme. Quelles sont les grandes lignes de votre traitement ?

**7.** Vous souhaitez le sensibiliser sur les risques liés au tabagisme. Quels sont les risques que vous pouvez mentionner ?

**8.** Il réfléchit à votre discours et vous demande quels sont les risques éventuels du tabagisme passif sur son petit garçon de 6 mois. Que lui répondez-vous ?

**9.** Il a bien compris votre message maintenant et vous sollicite pour l'aider à se sevrer. Quelles sont les options qui s'offrent à votre patient ?

# Première lecture et réflexes

- Arrêt du tabac ++, aide au sevrage, calcul de dose.

- Phénomène de Raynaud associé à une altération de l'état général et des signes neuromusculaires : penser au Raynaud secondaire.

## Réponses

**1. Quel est votre diagnostic syndromique ?** *(10)*

■ Phénomène de Raynaud ........................................................................................................................ *10*

**2. Comment compléter votre interrogatoire pour avancer dans votre démarche diagnostique ?** *(9)*

■ Pour confirmer le diagnostic :
- 3 phases : syncopale (blanche), asphyxique (bleue), hyperhémique (rouge) ..................................... *2*
- douleurs ................................................................................................................................................ *2*
- crises vasomotrices essentiellement au froid ..................................................................................... *1*

■ Pour rechercher l'étiologie :
- antécédents familiaux et mode de vie (emploi) ................................................................................ *NC*
- caractéristiques des troubles : latéralité, circonstances de déclenchement, âge d'apparition ......... *2*
- signes associés : signes généraux (AEG), troubles neurologiques, troubles cutanés, claudication des membres inférieurs ................................................................................................................................................ *2*

**3. Que suspectez-vous ?** *(5)*

■ Phénomène de **Raynaud secondaire** ................................................................................................ *3*
- à une artériopathie distale ................................................................................................................. *2*

**4. Quels examens prescrivez-vous alors ?** *(16)*

■ Bilan biologique :
- NFS-plaquettes .................................................................................................................................... *2*
- VS ....................................................................................................................................................... *2*
- électrophorèse des protides sériques .................................................................................................. *2*
- anticorps antinucléaires, anticorps anticentromères, anti-Scl 70, ANCA ......................................... *2*
- cryoglobulinémie, agglutinines froides ............................................................................................... *2*

■ Bilan d'imagerie :
- radiographies des deux mains et pieds .............................................................................................. *2*
- capillaroscopie .................................................................................................................................... *2*
- radiographie thorax face ..................................................................................................................... *2*
- exploration artérielle .......................................................................................................................... *2*

■ Orientés en fonction des données de l'examen clinique .................................................................. *NC*

**5. Sans avoir vu les examens complémentaires initialement prescrits, quel diagnostic suspectez-vous et sur quels arguments ?** *(20)*

- Phénomène de Raynaud secondaire à une **maladie de Buerger** ................................................................ *10*

- Arguments :
– terrain : homme jeune ................................................................................................................................ *2*
– **tabagisme (PMZ)** ..................................................................................................................................... *3*
– manifestations artérielles : ........................................................................................................................ *3*
  • phénomène de Raynaud
  • claudication plantaire et des mollets
  • nécrose distale
– manifestation veineuse : thrombophlébite migratrice ................................................................................ *2*

---

**6. Votre diagnostic se confirme. Quelles sont les grandes lignes de votre traitement ?** *(15)*

- Hospitalisation ............................................................................................................................................. *NC*

- Traitement médical : **vasodilatateurs** (prostacyclines type iloprost) ..................................................... *3*

- **Traitement chirurgical** : amputation des tissus nécrosés selon l'étendue de la nécrose ....................... *2*

- **Arrêt du tabac (PMZ)** .............................................................................................................................. *5*

- Traitement symptomatique : antalgiques .................................................................................................. *3*

- Surveillance ................................................................................................................................................. *2*

---

**7. Vous souhaitez le sensibiliser sur les risques liés au tabagisme. Quels sont les risques que vous pouvez mentionner ?** *(11)*

- Risque **aggravation maladie de Buerger (PMZ)** ..................................................................................... *2*

- Risque cardiovasculaire .............................................................................................................................. *3*

- Risque de cancers : poumon, ORL, vessie, œsophage, etc. .................................................................... *3*

- Risque de maladies respiratoires non cancéreuses : BPCO, aggravation de l'asthme, pneumopathie, SAS ............. *2*

- Risque d'exposition de l'entourage au tabagisme passif : enfants, personnes fragiles, femmes enceintes ................. *1*

- Autres : DMLA, retard de cicatrisation ..................................................................................................... *NC*

---

**8. Il réfléchit à votre discours et vous demande quels sont les risques éventuels du tabagisme passif sur son petit garçon de 6 mois. Que lui répondez-vous ?** *(4)*

- Risque d'infections respiratoires hautes .................................................................................................... *2*

- Risque accru de mort subite du nourrisson ............................................................................................... *2*

---

**9. Il a bien compris votre message maintenant et vous sollicite pour l'aider à se sevrer. Quelles sont les options qui s'offrent à votre patient ?** *(10)*

- **Éducation** thérapeutique : information et encouragements .................................................................... *2*

- Prise en charge psychologique : thérapie cognitive et comportementale, autre psychothérapie ............... *3*

- **Substituts** nicotiniques (patchs ou formes orales) ................................................................................. *3*

- Médicaments de prescription : bupropion, varénicline ............................................................................. *2*

# Conseils du conférencier

→ *Dans le phénomène de Raynaud, distinguer :*
   *– la maladie de Raynaud ;*
   *– les phénomènes de Raynaud secondaires (connectivites, mécaniques, artériopathies, toxiques).*

→ *Ne pas oublier les règles hygiénodiététiques.*

## >>> Items abordés dans ce dossier

**N° 129** – Facteurs de risque cardiovasculaire et prévention.
**N° 327** – Phénomène de Raynaud.

## Énoncé

Vous êtes en consultation de dermatologie. On vous amène un petit garçon de 3 ans et sa mère, que vous voyez pour la première fois.

La maman vous montre son fils qui présente des lésions alopéciantes d'environ 2 cm de diamètre recouvertes de squames. Les cheveux sont cassants, au ras du cuir chevelu. Vous retrouvez une lésion squameuse arrondie sur la nuque. Le garçon est en bon état général. Ses vaccins sont à jour. Il mesure 95 cm pour 13 kg. Il va à la maternelle depuis début septembre.

Sa maman vous informe qu'elle a remarqué l'apparition de ces lésions depuis environ 3 semaines, alors qu'ils revenaient de vacances du Congo, d'où ils sont originaires. Elle vous précise également que ses sœurs de 5 et 8 ans n'ont pas développé de telles lésions.

## Questions

**1.** Quel est le diagnostic le plus probable ?

**2.** Quel est le micro-organisme le plus probablement en cause et sur quels arguments ?

**3.** Quels examens pouvez-vous faire pour confirmer votre diagnostic ?

**4.** Quel traitement allez-vous instituer ?

Vous le revoyez quelques semaines plus tard. Il ne présente plus de lésions du cuir chevelu. Par contre, il est fatigué et parfois essoufflé à l'effort. Vous suspectez une anémie.

**5.** Quels sont les autres signes cliniques qui peuvent témoigner d'une anémie chronique ?

**6.** Quelle(s) est (sont) votre (vos) première(s) exploration(s) biologique(s) pour vous orienter sur l'origine de cette anémie ?

Il revient vous voir en consultation. Sa mère vous montre les résultats de l'hémogramme :
– Hb : 9 g/dL ;
– VGM : 68 $\mu m^3$ ;
– leucocytes : 8 000/mm$^3$ ;
– plaquettes : 250 000/mm$^3$ ;
– réticulocytes : 15 000/mm$^3$.

**7.** Quelles sont alors vos hypothèses diagnostiques et quels examens complémentaires vous feront avancer dans votre démarche ?

**8.** Tout le bilan que vous avez prescrit est normal. Quelles sont alors vos principales hypothèses diagnostiques ?

La mère de l'enfant vous signale également qu'il se plaint de douleurs abdominales chroniques, de constipation et qu'il a des troubles du sommeil, surtout depuis qu'ils viennent d'emménager dans leur nouveau logement.

**9.** Que suspectez-vous et quels signes cutanés recherchez-vous spécifiquement pour vous conforter dans votre hypothèse ?

## Première lecture et réflexes

- Suspicion de teigne chez l'enfant : éviction.
- Dépistage des contacts si teigne anthropophile.
- Anémie : recherche des signes de mauvaise tolérance.

## Réponses

**1. Quel est le diagnostic le plus probable ?** *(10)*

■ **Teigne tondante** sèche à petites plaques ................................................................................................ *10*

**2. Quel est le micro-organisme le plus probablement en cause et sur quels arguments ?** *(16)*

■ ***Trichophyton soudanense*** ......................................................................................................................... *5*
– *Trichophyton* :
  • petites plaques .......................................................................................................................................... *2*
  • lésion squameuse associée sur peau glabre ......................................................................................... *2*
  • cheveux cassants ....................................................................................................................................... *2*
  • squames ..................................................................................................................................................... *2*
– *soudanense* :
  • retour d'Afrique noire .............................................................................................................................. *2*
– terrain : enfant ............................................................................................................................................ *1*
– argument de fréquence ............................................................................................................................. *NC*

**3. Quels examens pouvez-vous faire pour confirmer votre diagnostic ?** *(10)*

■ Examen à la **lampe de Wood** : pas de fluorescence ..................................................................... *5*

■ **Examen mycologique** direct et culture après grattage de squames ................................ *5*

**4. Quel traitement allez-vous instituer ?** *(13)*

■ Traitement ambulatoire ............................................................................................................................. *NC*

■ Traitement par voie générale :
– **griséofulvine** (15 à 20 mg/kg/jour) pendant 6 semaines (à prendre au cours du repas) *per os* ............ *4*

■ Traitement local par dérivés imidazolés pendant 6 semaines .......................................................... *4*

■ Traitement des objets en contact avec le cuir chevelu (antifongique en poudre) ......................... *2*

■ **Dépistage et traitement le cas échéant des membres de la famille (PMZ)** ...................... *2*

■ Éviction scolaire jusqu'à prélèvement mycologique négatif ............................................................. *1*

■ Surveillance ................................................................................................................................................ *NC*

**5. Quels sont les autres signes cliniques qui peuvent témoigner d'une anémie chronique ?** *(7)*

- Pâleur cutanée ......................................................................................................................................... *1*

- Pâleur muqueuse (conjonctives) ................................................................................................. *1*

- Pâleur unguéale ....................................................................................................................................... *1*

- Acouphènes ................................................................................................................................................ *1*

- Signes anoxiques :
- vertiges et céphalées ........................................................................................................................ *1*
- tachycardie ................................................................................................................................................ *1*
- souffle cardiaque fonctionnel ...................................................................................................... *1*

**6. Quelle(s) est (sont) votre (vos) première(s) exploration(s) biologique(s) pour vous orienter sur l'origine de cette anémie ?** *(15)*

- **Numération formule sanguine :** ..................................................................................... **5**
- confirmer l'anémie Hb < 13 g/dL ............................................................................................... *2*
- rechercher une atteinte des autres lignées (leucocytes et plaquettes) ................. *1*
- VGM, TCMH, CCMH .......................................................................................................................... *1*

- **Réticulocytes :** ................................................................................................................................ **5**
- caractère régénératif ou arégénératif de l'anémie si < 150 000/mm$^3$ ...................... *1*

**7. Quelles sont alors vos hypothèses diagnostiques et quels examens complémentaires vous feront avancer dans votre démarche ?** *(10)*

- Devant une anémie microcytaire arégénérative :
- bilan martial : fer sérique, transferrine, coefficient de saturation de la transferrine ................... *5*
- bilan inflammatoire : électrophorèse des protides sériques, VS, fibrinogène ..................... *5*

**8. Tout le bilan que vous avez prescrit est normal. Quelles sont alors vos principales hypothèses diagnostiques ?** *(10)*

- Thalassémie ................................................................................................................................................. *4*

- Saturnisme .................................................................................................................................................. *4*

- Carence en vitamine B6 ..................................................................................................................... *1*

- Anémie sidéroblastique (peu probable sur ce terrain) ................................................ *1*

**9. Que suspectez-vous et quels signes cutanés recherchez-vous spécifiquement pour vous conforter dans votre hypothèse ?** *(9)*

- **Saturnisme** (intoxication chronique au plomb) ............................................................. **5**

- Signes cutanés :
- taches de Gubler (plaques jugales) ......................................................................................... *2*
- liseré de Burton (liseré noir gingival) .................................................................................. *2*

# Conseils du conférencier

➜ *1<sup>re</sup> partie :*
*Trichophyton soudanense : Trichophyton sur les caractères cliniques de l'alopécie, soudanense sur l'histoire de la maladie.*
*Traitement systémique et local.*

➜ *2<sup>e</sup> partie :*
*Explorations classiques d'une anémie :*
  - *caractère régénératif ou pas ;*
  - *si arégénérative : carence martiale ou inflammation ;*
  - *la difficulté se rencontre lorsque le bilan est normal. La thalassémie et le saturnisme sont les causes à évoquer chez l'enfant.*

## ⟫ Référence

*Orientation diagnostique devant une anémie.* Société française d'hématologie, 2006.

## ⟫ Items abordés dans ce dossier

**N° 87** – Infections cutanéo-muqueuses bactériennes et mycosiques.
**N° 297** – Anémie.

# Ouaf ouaf

## Énoncé

Vous êtes aux urgences générales un samedi soir. Vous recevez un patient de 55 ans, bien connu du service, pour une alcoolisation aiguë. Il a chuté sur le trottoir devant l'hôpital.

Le patient fume un paquet de cigarettes par jour depuis 25 ans et consomme une bouteille de vin rouge à 12,5° par jour. Il n'a pas d'antécédent notable, en dehors d'un ulcère gastrique à *Helicobacter pylori*.

Les constantes sont : T° à 37,2 °C, PA à 135/95 mm Hg, FC à 110/min. Il pèse 60 kg pour 1 m 78. Son examen neurologique est normal, en dehors d'une logorrhée. Il n'a pas perdu connaissance. Il a perdu 5 kg cette année. Il signale également des épigastralgies intermittentes et une dysphagie occasionnelle. Le reste de l'examen est normal en dehors d'une adénopathie fixe sus-claviculaire gauche.

## ? Questions

**1.** Quelle est sa consommation habituelle en grammes d'alcool par jour ?

Lors de votre examen complet, vous examinez complètement sa peau. Vous retrouvez une plaie peu profonde de la jambe droite, due à sa chute, ainsi qu'une morsure profonde de la main gauche. Il vous signale qu'un chien de rue l'a mordu la veille. Le chien s'est enfui.

**2.** Quelle va être votre prise en charge thérapeutique de ces plaies ?

Toujours lors de votre examen, vous constatez la présence de placards ardoisés papillomateux axillaires bilatéraux. Le patient vous signale que ces « plaques » sont apparues il y a 6 mois. Elles sont asymptomatiques.

**3.** Que suspectez-vous ?
**4.** Quelles sont les étiologies de cette entité ?
**5.** Quelle cause suspectez-vous ici et sur quels arguments ?
**6.** Quels examens complémentaires allez-vous alors demander ?

Finalement, le patient n'est pas opérable et il reçoit une chimiothérapie à base de cisplatine-5FU.

Vous êtes amené à le revoir alors qu'il a reçu plusieurs cures, car il se plaint de dysesthésies palmoplantaires.

En effet, vous constatez un érythème et une desquamation palmoplantaire, sensible au toucher.

**7.** De quoi s'agit-il selon vous ?

# Première lecture et réflexes

- Consommation déclarée d'alcool (CDA) = volume consommé (mL) x degré/100 x 0,8 (densité d'alcool).

- Poids et taille : calcul de l'IMC = $P/T^2$.

- Alcoolo-tabagisme : sevrage, prévention du DT (réflexe non utilisé dans ce dossier mais à conserver à l'esprit), calcul de dose, cancer.

- AEG et ganglion sus-claviculaire gauche : suspicion de néoplasie.

- Morsure de chien inconnu : centre antirabique.

## Réponses

### 1. Quelle est sa consommation habituelle en grammes d'alcool par jour ? *(10)*

- Consommation quotidienne :
- 0,75 x 12,5/100 = 0,09375 L d'alcool pur
- 1 L d'alcool = 800 g d'alcool
- donc 75 g d'alcool par jour ................................................................................................................................ *10*

### 2. Quelle va être votre prise en charge thérapeutique de ces plaies ? *(20)*

- Plaie jambe droite :
- lavage au sérum physiologique ................................................................................................................................ *2*
- désinfection locale ................................................................................................................................................. *2*
- **rappel antitétanique si besoin (PMZ)** ............................................................................................................ *2*

- Morsure de la main gauche :
- **exploration chirurgicale** à la recherche d'une atteinte neurologique, vasculaire ou tendineuse **(PMZ)** .. *4*
- lavage et parage, puis antisepsie ............................................................................................................................ *2*
- cicatrisation dirigée ................................................................................................................................................ *2*
- antibioprophylaxie par amoxicilline-acide clavulanique (Augmentin®) pendant 5 jours ........................................ *2*

- Patient dirigé vers centre antirabique pour vaccination (chien inconnu) ................................................................ *2*

- Surveillance ........................................................................................................................................................... *2*

### 3. Que suspectez-vous ? *(10)*

- ***Acanthosis nigricans*** ...................................................................................................................................... *10*

### 4. Quelles sont les étiologies de cette entité ? *(13)*

- Paranéoplasique ................................................................................................................................................... *5*

- Insulinorésistance :
- secondaire au surpoids ......................................................................................................................................... *3*
- endocrinopathies dont hypothyroïdies ................................................................................................................. *3*
- SOPK ................................................................................................................................................................... *NC*

- Sarcoïdose ............................................................................................................................................................ *2*

- Idiopathique ........................................................................................................................................................ *NC*

## 5. Quelle cause suspectez-vous ici et sur quels arguments ? *(17)*

- ***Acanthosis nigricans* paranéoplasique** sur cancer gastrique ................................ 10

- Arguments :
– antécédent d'ulcère gastrique ................................................................................. *2*
– *Helicobacter pylori* .............................................................................................. *1*
– altération de l'état général ..................................................................................... *1*
– ganglion de Troisier .............................................................................................. *2*
– terrain alcoolotabagique (même si rôle limité) ........................................................ *1*

## 6. Quels examens complémentaires allez-vous alors demander ? *(15)*

- Pour le diagnostic positif :
– **endoscopie digestive haute** avec **biopsies multiples étagées** et recherche d'*Helicobacter pylori* ........ 5

- Pour l'extension :
– scanner thoracique et abdomino-pelvien ................................................................. *4*
– écho-endoscopie ................................................................................................... *2*

- Pour le bilan préthérapeutique :
– marqueurs nutritionnels : préalbumine, albumine ................................................... *2*
– marqueurs tumoraux (pour le suivi uniquement) : ACE, CA 19-9 ............................. *2*
– exploration du terrain alcoolotabagique : examen ORL, bilan hépatique, etc. selon examen clinique ................... *NC*
– bilan préopératoire ............................................................................................... *NC*

## 7. De quoi s'agit-il selon vous ? *(15)*

- **Syndrome main-pied** ......................................................................................... 8
- Effet secondaire du 5-FU probablement .................................................................. *7*

## Conseils du conférencier

→ *Plaies :*
   – *ne pas réaliser de suture sur une plaie profonde de la main, circulaire ou lorsque la plaie date de plus de 6 h ;*
   – *l'exploration au bloc est indispensable en cas de plaie profonde ou de la main.*

→ Acanthosis nigricans : *les deux principales causes sont les causes paranéoplasiques (l'adénocarcinome gastrique étant la néoplasie la plus souvent retrouvée) et l'insulinorésistance.*

### ⟫⟫ Items abordés dans ce dossier

**N° 140** – Diagnostic des cancers : signes d'appel et investigations paracliniques, stadification, pronostic.

**N° 213** – Piqûres et morsures. Prévention de la rage.

## Allô maman bobo

### Énoncé

Une femme de 35 ans vous amène son fils de 6 mois car il présente depuis quelques jours des « plaques rouges sur le visage et les bras qui suintent et grattent ». Il s'agit de son deuxième fils, son aîné n'a jamais présenté ce type de trouble. Elle l'allaite exclusivement. Il s'agit d'un bébé en bonne santé, même s'il est grognon depuis l'apparition de ces plaques.

Vous examinez le bébé et trouvez un enfant pesant 6 kg pour 65 cm, en bon état général. Il présente en effet des lésions érythémateuses suintantes par endroits et sèches à d'autres, mal limitées. Vous observez ces lésions sur l'abdomen, les joues et le menton. La peau est sèche. Le reste de votre examen est normal.

### Questions

1. Quelles informations regardez-vous sur le carnet de santé ?
2. Quels vaccins a t-il pu déjà recevoir ?
3. Quel diagnostic évoquez-vous et sur quels arguments ?
4. La maman est inquiète et vous demande quel est le mécanisme d'apparition de cette maladie. Que lui répondez-vous ?
5. Quel(s) examen(s) demandez-vous pour confirmer votre diagnostic ?
6. Quel traitement instituez-vous et quelles explications donnez-vous à la maman sur l'évolution de la maladie ?

L'enfant revient 10 jours plus tard aux urgences pour une AEG, fièvre à 39 °C. On vous appelle car il présente des lésions vésiculeuses disséminées sur l'ensemble du tégument. L'enfant semble algique.

7. Quel est votre diagnostic ?
8. Quelle est votre prise en charge thérapeutique immédiate ?

## Première lecture et réflexes

- Pédiatrie :
  - examen du carnet de santé ;
  - examen de la courbe staturopondérale ;
  - examen en présence d'un parent.

## Réponses

**1. Quelles informations regardez-vous sur le carnet de santé ?** *(10)*

- ATCD familiaux, gestité et parité de la mère ............................................................................................ *1*
- Complications éventuelles de la grossesse ................................................................................................ *1*
- Naissance : terme, déroulement, poids et taille de naissance ................................................................ *2*
- Événements depuis la naissance (infections) ............................................................................................ *2*
- Vaccins réalisés .......................................................................................................................................... *2*
- **Courbe staturale et pondérale (PMZ)** ............................................................................................ *2*

**2. Quels vaccins a t-il pu déjà recevoir ?** *(9)*

- BCG ............................................................................................................................................................ *2*
- DTPcoq ...................................................................................................................................................... *2*
- Hépatite B .................................................................................................................................................. *2*
- Pneumocoque ............................................................................................................................................ *2*
- *Hæmophilus influenzæ* ............................................................................................................................ *1*

**3. Quel diagnostic évoquez-vous et sur quels arguments ?** *(18)*

- **Dermatite atopique non compliquée** du nourrisson ...................................................................... *10*
- Arguments :
  - dermatose prurigineuse .......................................................................................................................... *2*
  - sur les zones convexes ............................................................................................................................ *2*
  - xérose cutanée ........................................................................................................................................ *2*
  - survenue précoce .................................................................................................................................... *2*

**4. La maman est inquiète et vous demande quel est le mécanisme d'apparition de cette maladie. Que lui répondez-vous ?** *(8)*

- Facteurs génétiques : **atopie** (prédisposition à produire des IgE lors de l'exposition à un allergène) ...... *3*
- Facteur immunologiques : **hypersensibilité** retardée ........................................................................ *3*
- Anomalies constitutives de la barrière épidermique : xérose cutanée .................................................. *2*

**5. Quel(s) examen(s) demandez-vous pour confirmer votre diagnostic ?** *(10)*

- **Aucun** .................................................................................................................................................... *5*
- Diagnostic clinique .................................................................................................................................... *5*

**6. Quel traitement instituez-vous et quelles explications donnez-vous à la maman sur l'évolution de la maladie ?** *(20)*

- Traitement :
- – ambulatoire ................................................................................................................................. *NC*
- – **anti-inflammatoire local :** dermocorticoïdes : ......................................................................... *4*
  - • classe faible sur le visage
  - • classe forte sur le corps
- – xérose cutanée :
  - • émollients ...................................................................................................................... *4*
- – mesures associées :
  - • antihistaminiques anti-H1 en cas de prurit important ...................................................... *1*
- **Éducation :** ................................................................................................................................ *2*
- – pas de régime alimentaire particulier ......................................................................................... *NC*
- – importance de l'hydratation cutanée ........................................................................................... *NC*
- – couper les ongles courts ............................................................................................................. *1*
- – pas de vêtements en laine, préférer le coton ............................................................................. *1*
- – pas de contact avec des personnes atteintes d'herpès .............................................................. *1*
- – aérer les chambres, pas de surchauffage .................................................................................... *NC*
- – bain ou douche tiède et courte ................................................................................................... *1*

- Évolution :
- – pathologie évoluant par poussées .............................................................................................. *2*
- – disparition classique avant 2 ans ................................................................................................ *2*
- – persistance possible .................................................................................................................... *NC*
- – terrain atopique avec association possible aux autres manifestations de l'atopie (rhinite, asthme) ........... *1*

---

**7. Quel est votre diagnostic ?** *(10)*

- **Syndrome de Kaposi-Juliusberg** compliquant une poussée de dermatite atopique .................... *10*

---

**8. Quelle est votre prise en charge thérapeutique immédiate ?** *(15)*

- **Urgence médicale (PMZ)** .......................................................................................................... *2*

- Hospitalisation, isolement de contact .............................................................................................. *2*

- Traitement :
- – étiologique :
  - • traitement IV par acyclovir (500 mg/m² × 3/j) ................................................................. *3*
  - • puis traitement antibiotique antistaphylococcique ............................................................. *2*
- – symptomatique :
  - • antalgiques et antipyrétiques (paracétamol 50 mg/kg/j) ..................................................... *2*
  - • antisepsie locale .............................................................................................................. *1*
  - • nutrition et hydratation ................................................................................................... *1*
  - • arrêt des dermocorticoïdes .............................................................................................. *1*
- Surveillance ................................................................................................................................... *1*

*Les classiques aux ECN*

## Conseils du conférencier

→ *Dossier classique de dermatite atopique compliquée d'un Kaposi-Juliusberg, pouvant constituer un dossier d'internat.*

→ *Repose essentiellement sur la conférence de consensus de la SFD.*

### ⟫⟫ Référence

Conférence de consensus. *Prise en charge de la dermatite atopique de l'enfant.* Société française de dermatologie, 2004.

### ⟫⟫ Items abordés dans ce dossier

**N° 84** – Infections à herpès virus de l'enfant et de l'adulte immunocompétents : herpès cutané et muqueux.

**N° 114** – Allergies cutanéo-muqueuses chez l'enfant et l'adulte. Urticaires, dermatites atopique et de contact.

## Énoncé

Une patiente de 50 ans vient consulter car elle a entendu parler de la journée de prévention solaire. Elle a constaté une lésion cutanée pigmentée récente du pied droit qui s'est ulcérée.

Il s'agit d'une patiente qui ne prend aucun traitement. Elle travaille à la mairie, a 2 enfants. Elle n'a pas vu de médecin depuis plusieurs années.

La campagne de dépistage des cancers de la peau l'a poussée à consulter, bien qu'elle ne soit pas particulièrement inquiète. Elle va tous les ans sur la côte méditerranéenne et a toujours bien pris soin de se protéger du soleil, en utilisant un écran total.

Vous décidez de l'examiner.

## Questions

**1.** Comment conduisez-vous votre interrogatoire et votre examen clinique ?

**2.** La lésion vous paraît hautement suspecte. Quel examen-clé allez-vous demander ?

La semaine d'après, vous recevez un examen mentionnant ceci :
– mélanome à extension superficielle ;
– Breslow 2,5 mm ;
– Clark III ;
– ulcération et index mitotique élevé.

**3.** Que signifie le Breslow ?

**4.** Quels sont les facteurs de mauvais pronostic que vous relevez ?

**5.** Vous ne retrouvez pas de localisation à distance. Vous décidez d'un traitement chirurgical. Quel suivi allez-vous instaurer par la suite ?

Malheureusement, la patiente ne suit pas vos recommandations et est perdue de vue.

Vous la revoyez 6 ans plus tard aux urgences pour une nette altération de l'état général. Elle a été amenée par les pompiers pour une crise comitiale généralisée.

À l'examen, vous notez une pigmentation de la cicatrice de la jambe droite, ainsi que des nodules pigmentés sur le membre inférieur droit. Un scanner cérébral non injecté retrouve une lésion arrondie hypodense pariétale gauche, avec un effet de masse.

**6.** Quel diagnostic suspectez-vous ?

La patiente est hospitalisée. Malheureusement, elle décède quelques mois plus tard.

**7.** Vous êtes appelé pour rédiger le certificat de décès. Comment le remplissez-vous ?

**8.** Sa fille ainée vous appelle car elle voudrait avoir accès au dossier médical de sa mère. Quelles sont les trois conditions qui pourraient l'y autoriser ?

## Première lecture et réflexes

- Suspicion de lésion cancéreuse cutanée :
  - photographies ;
  - examen de tout le tégument et muqueuses.

- Mélanome :
  - Breslow ;
  - éducation (éviction solaire, surveillance) ;
  - dépistage familial.

## Réponses

**1. Comment conduisez-vous votre interrogatoire et votre examen clinique ?** *(17)*

■ Interrogatoire :
- antécédents familiaux de mélanome ....................................................................................... *1*
- antécédents personnels de mélanome ................................................................................. *1*
- exposition au soleil ................................................................................................................ *2*
- **ancienneté de la lésion, aspect initial, évolution (PMZ)** ........................................ *2*

■ Examen :
- **examen de tout le tégument et muqueuses** ............................................................. *2*
- lésion : régularité, ulcération, bordure, taille, couleur .......................................................... *3*
- aires ganglionnaires ............................................................................................................... *2*
- phototype
- poids ...................................................................................................................................... *1*
- photographies ....................................................................................................................... *2*
- dermatoscopie si possible .................................................................................................... *1*
- orienté selon symptômes

**2. La lésion vous paraît hautement suspecte. Quel examen-clé allez-vous demander ?** *(10)*

■ **Examen anatomopathologique de toute la lésion** (exérèse de toute la lésion sans marge) avec mesure du Breslow ................................................................................................................. *10*

**3. Que signifie le Breslow ?** *(15)*

■ Facteur pronostique le plus important ................................................................................. *5*

■ Épaisseur maximale du mélanome (de l'épiderme jusqu'à la cellule tumorale la plus profonde) ................. *10*

**4. Quels sont les facteurs de mauvais pronostic que vous relevez ?** *(10)*

■ Facteurs cliniques :
- ulcération clinique ................................................................................................................. 2

■ Facteurs histologiques :
- ulcération .............................................................................................................................. *2*
- Breslow élevé ....................................................................................................................... *2*
- index mitotique élevé ........................................................................................................... *2*
- phénomène de régression ..................................................................................................... *1*
- indice de Clark ..................................................................................................................... *1*

**5. Vous ne retrouvez pas de localisation à distance. Vous décidez d'un traitement chirurgical. Quel suivi allez-vous instaurer par la suite ?** *(15)*

- Suivi immédiat : cicatrisation .................................................................................................. *3*

- **Suivi à vie ++ (PMZ)** ...................................................................................................... *2*
– examen tous les 3 mois pendant 5 ans puis tous les ans toute la vie ................................. *3*
– auto-examen ......................................................................................................................... *3*
– **éducation** (pas d'exposition au soleil) ............................................................................. *2*
– dépistage familial (1er degré) ............................................................................................... *2*

**6. Quel diagnostic suspectez-vous ?** *(10)*

- Crise comitiale généralisée ................................................................................................... *3*

- Sur métastase cérébrale pariétale gauche ............................................................................ *4*

- D'un mélanome stade IV du pied droit ................................................................................. *3*

**7. Vous êtes appelé pour rédiger le certificat de décès. Comment le remplissez-vous ?** *(17)*

- Partie administrative nominative en 3 exemplaires .............................................................. *2*
– date ...................................................................................................................................... *1*
– identification du médecin ..................................................................................................... *1*
– identification du patient (nom, prénom et date de naissance) ............................................. *1*
– « état de mort réelle et constante » ..................................................................................... *2*
– date et heure de décès ......................................................................................................... *2*
– rubriques à remplir :
  • obstacle médico-légal (non) ............................................................................................. *1*
  • mise en bière (non immédiate, en cercueil simple) .......................................................... *1*
- Partie anonyme ..................................................................................................................... *2*
– date de naissance, sexe, ville de résidence .......................................................................... *1*
– causes du décès .................................................................................................................... *1*
- Sur les deux parties : signature et cachet **(PMZ)** ........................................................... *2*

**8. Sa fille ainée vous appelle car elle voudrait avoir accès au dossier médical de sa mère. Quelles sont les trois conditions qui pourraient l'y autoriser ?** *(6)*

- Connaître la cause du décès .................................................................................................. *2*

- Faire valoir des droits ............................................................................................................ *2*

- Défendre la mémoire de la personne décédée ...................................................................... *2*

Les classiques aux ECN

# Conseils du conférencier

→ *Il s'agit d'un mélanome stade IIA.*

→ *Le document du CEDEF (collège des enseignants de dermatologie de France) regroupe l'ensemble des consensus mis à jours :*
  – *dépistage ;*
  – *traitement ;*
  – *suivi.*

→ *Ne pas méconnaître les items « certificats » et « dossier médical », sur lesquels des questions isolées peuvent être posées, sans pour autant constituer un dossier complet.*

## >>> Référence

Recommandations pour la pratique clinique. *SOR 2005 pour la prise en charge des patients adultes atteints d'un mélanome cutané M0. SFD, 2005.*

## >>> Items abordés dans ce dossier

**N° 6** – Le dossier médical. L'information du malade. Le secret médical.

**N° 8** – Certificats médicaux. Décès et législation. Prélèvements d'organes et législation.

**N° 149** – Tumeurs cutanées, épithéliales et mélaniques.

# Saint-Valentin

## Énoncé

Une jeune femme de 28 ans consulte pour des douleurs vulvaires et abdominales depuis 48 heures, associées à un syndrome fébrile à 38,5 °C.

Elle n'a pas d'antécédents particuliers, ni de traitement en dehors d'une contraception par œstroprogestatifs. Elle revient d'un voyage de 15 jours au Brésil avec son compagnon.

Elle travaille comme secrétaire de direction.

À l'examen, elle présente un œdème, des brûlures vulvaires et des érosions en bouquet. Elle vous signale également des douleurs abdominales pelviennes à type de pesanteur depuis 24 h. C'est la première fois que cela lui arrive. Son ami qui l'accompagne ne présente quant à lui aucune symptomatologie particulière.

## Questions

**1.** Quelles sont les principales causes d'ulcérations ou érosions génitales ?

**2.** Comment compléter votre examen physique ?

**3.** Vous retrouvez des adénopathies inguinales et une vulvovaginite érosive. Quel est le diagnostic le plus probable ?

**4.** Comment confirmer votre diagnostic ?

**5.** Quelle complication redoutez-vous chez cette patiente et comment traiter cette complication ?

**6.** Vous décidez d'hospitaliser la patiente. Quel traitement instituez-vous ?

Vous la traitez avec succès.
Elle revient vous voir environ tous les 2 mois car ces épisodes se répètent et la gênent dans la vie quotidienne.

**7.** Que pouvez-vous lui proposer ? Justifiez.

La patiente est perdue de vue pendant 1 an.

Vous la croisez à l'hôpital alors qu'elle vient consulter un obstétricien pour un suivi de grossesse. Elle est à 34 SA. Elle vous informe qu'elle n'a plus eu d'épisode de ce type depuis 1 an.

A 40 SA, elle accouche par voie basse. Elle ne présente aucune lésion cutanée ou muqueuse.

**8.** Faites-vous des examens ? Si oui, lesquels ?

**9.** Quels sont les risques pour l'enfant ?

**10.** Quels sont les modes de transmission possibles ?

## Première lecture et réflexes

- Femme en âge de procréer : βHCG, discuter de la contraception.

- Voyage tropical récent + fièvre = penser au paludisme.

- Dossier issu de la conférence de consensus.

- Herpès génital : risque de rétention aiguë d'urines (surtout chez la femme).

## Réponses

**1. Quelles sont les principales causes d'ulcérations ou érosions génitales ? (6)**

■ Causes infectieuses :
– IST ................................................................................................................................................ *2*
– virus HSV ..................................................................................................................................... *2*

■ Causes inflammatoires :
– MICI (Crohn) .............................................................................................................................. *2*

**2. Comment compléter votre examen physique ?** *(10)*

■ **Examen tout tégument et muqueuses** (autres lésions muqueuses, bulles ou érosions cutanées) ........ *3*

■ Palpation aires ganglionnaires ....................................................................................................... *2*

■ Palpation abdominale .................................................................................................................... *2*

■ Examen gynécologique ................................................................................................................. *3*

**3. Vous retrouvez des adénopathies inguinales et une vulvovaginite érosive. Quel est le diagnostic le plus probable ?** *(13)*

■ **Primo-infection** .......................................................................................................................... *5*
– **herpétique génitale** ................................................................................................................. *5*
– virus de la famille *Herpesviridae* type virus *Herpes simplex* 1 ou 2 ....................................... *3*

**4. Comment confirmer votre diagnostic ?** *(9)*

■ Prélèvement cutané : .................................................................................................................... *3*
– transport dans un milieu de culture adapté et rapide ................................................................. *3*
– pour culture cellulaire (recherche d'antigènes également acceptée) ......................................... *3*

**5. Quelle complication redoutez-vous chez cette patiente et comment traiter cette complication ?** *(10)*

■ **Rétention aiguë d'urine** ............................................................................................................ *5*

■ Pose d'une sonde vésicale ............................................................................................................ *3*
– en milieu stérile ............................................................................................................................ *2*

### 6. Vous décidez d'hospitaliser la patiente. Quel traitement instituez-vous ? *(13)*

■ Traitement de l'infection herpétique :
– **antiviral type valaciclovir** *per os* (valaciclovir si prise orale possible) ............................................. *5*

■ Traitement symptomatique :
– antalgique et antipyrétique type paracétamol ..................................................................................... *5*

■ Surveillance **reprise diurèse** ........................................................................................................................... *3*

---

### 7. Que pouvez-vous lui proposer ? Justifiez. *(7)*

■ Traitement préventif :
– valaciclovir 500 mg/jour ou aciclovir 400 mg × 2/jour ........................................................................ *5*

■ Car > 6 épisodes par an ..................................................................................................................................... *2*

**Remarque :** *les posologies ne sont pas à connaître.*

---

### 8. Faites-vous des examens ? Si oui, lesquels ? *(14)*

■ Oui : ...................................................................................................................................................................... *2*
– chez la mère :
  • **prélèvement systématique pour culture** ................................................................................................ *2*
  • au niveau de l'endocol ................................................................................................................................ *2*
  • lors du travail ................................................................................................................................................ *2*
– chez l'enfant :
  • **prélèvements oculaire et pharyngé** ....................................................................................................... *2*
  • pour culture ................................................................................................................................................... *2*
  • à 48 h et 72 h de vie .................................................................................................................................... *2*

---

### 9. Quels sont les risques pour l'enfant ? *(9)*

■ Risques de complications à type de :
– atteinte méningée ............................................................................................................................................ *3*
– atteinte cutanéo-muqueuse ........................................................................................................................... *3*
– atteinte multiviscérale ..................................................................................................................................... *3*

---

### 10. Quels sont les modes de transmission possibles ? *(9)*

■ *In utero* ................................................................................................................................................................ *3*

■ À l'accouchement (passage de la filière génitale) .......................................................................................... *3*

■ Postnatal ............................................................................................................................................................... *3*

## Conseils du conférencier

➔ *Dossier monothématique assez classique, reposant sur une conférence de consensus.*

➔ *Pas de piège particulier.*

## >>> Référence

Conférence de consensus. *Prise en charge de l'herpès cutanéo-muqueux chez le sujet immunocompétent (manifestations oculaires exclues)*. HAS, 2001.

## >>> Items abordés dans ce dossier

**N° 84** – Infections à herpès virus de l'enfant et de l'adulte immunocompétents : herpès cutané et muqueux.

**N° 343** – Ulcérations ou érosions des muqueuses orales et/ou génitales.

# Telle mère, telle fille

## Énoncé

Après votre consultation, on vous amène une petite fille de 3 ans et demi pour un avis sur des lésions cutanées. C'est une enfant en bonne santé, sans antécédent. Elle est fatiguée. Elle vous montre ses « boutons qui grattent » qu'elle a depuis 2 jours sur la tête, le visage et les mains. Elle est à l'hôpital car sa mère est à la maternité, en salle d'accouchement. Son père en a profité pour solliciter un avis.

Vous constatez des lésions vésiculeuses dont certaines sont croûteuses, d'autres ombiliquées, éparses sur les zones décrites. Elle présente quelques adénopathies cervicales, et un syndrome subfébrile à 38 °C depuis 2 jours pour lequel son médecin lui a prescrit du paracétamol en alternance avec de l'aspirine.

 **Questions**

1. Quel est votre diagnostic ?
2. Sur quels arguments ?
3. Quel est l'agent incriminé ?
4. Quel traitement instituez-vous ?

Son père vous informe que sa femme a deux lésions identiques à celles de sa fille sur le tronc.

5. Y a-t-il un risque particulier ?

Quelques jours plus tard, vous apprenez par vos collègues que la mère est hospitalisée pour une pneumopathie hypoxémiante. Ils vous montrent son scanner thoracique.

6. Qu'attendez-vous à voir sur l'imagerie ?
7. Quelle est l'étiologie probable de cette pneumopathie ?
8. Quel traitement a été institué par vos collègues ?
9. Une sage-femme du service qui a été en contact avec la mère vous demande quels sont les risques si elle a déjà eu cette maladie et jusqu'à quand la patiente est contagieuse. Que lui répondez-vous ?

## Première lecture et réflexes

- Varicelle :
  – arrêt aspirine ;
  – examen buccal : signe de Koplick ;
  – éviction, DO.

## Réponses

**1. Quel est votre diagnostic ?** *(10)*

- **Varicelle** non compliquée de l'enfant ............................................................................................. **10**

**2. Sur quels arguments ?** *(14)*

- Clinique :
- **éruption vésiculeuse** ....................................................................................................................... **3**
- lésions d'âge différent ........................................................................................................................ **3**
- prurit ................................................................................................................................................... **1**
- localisation chef et mains .................................................................................................................. **3**
- adénopathies et syndrome fébrile .................................................................................................... **2**
- Terrain : enfant ....................................................................................................................................... **2**

**3. Quel est l'agent incriminé ?** *(6)*

- Primo-infection virale
- par virus de la famille des **herpesviridæ** ......................................................................................... **3**
- type **VZV** (varicelle zona virus) ...................................................................................................... **3**

**4. Quel traitement instituez-vous ?** *(15)*

- Traitement ambulatoire ........................................................................................................................ **2**

- Pas de traitement spécifique ............................................................................................................ **NC**

- **Traitement symptomatique :**
- douche ou bain quotidien avec pain dermatologique ................................................................. **NC**
- hydratation cutanée par émollients ................................................................................................ **NC**
- nettoyage des lésions à la chlorhexidine ........................................................................................ **2**
- antihistaminiques anti-H1 si prurit invalidant : dexchlorphéniramine (Polaramine®) *per os* ......... **3**
- antipyrétiques type paracétamol *per os* ......................................................................................... **2**

- **Arrêt de l'aspirine (PMZ)** ............................................................................................................. **3**

- Mesures associées : éviction de l'école, des jeunes enfants, des femmes enceintes et des immunodéprimés ......... **3**

**5. Y a-t-il un risque particulier ?** *(10)*

- Pour la mère : oui, risque de varicelle de l'adulte ............................................................................. **3**
- risque de complications de type pneumopathie varicelleuse ........................................................ **2**

- Pour le nouveau-né : oui, risque de varicelle néonatale ................................................................. **3**
- risque de complications viscérales .................................................................................................... **2**

Les classiques aux ECN

# Conseils du conférencier

➜ *Dossier reprenant les points essentiels de la varicelle.*

➜ *Une deuxième varicelle est possible mais rare.*

➜ *La pneumopathie varicelleuse est la cause principale de mortalité liée à la varicelle.*

➜ *Le principal facteur de risque chez l'adulte est le tabagisme.*

## ⟫ Référence

Conférence de consensus. *Prise en charge des infections à VZV.* SPILF, 1998.

## ⟫ Items abordés dans ce dossier

**N° 84** – Infections à herpès virus de l'enfant et de l'adulte immunocompétents : herpès cutané et muqueux.

**N° 94** – Maladies éruptives de l'enfant.

## Charette

### Énoncé

Une patiente de 32 ans vient consulter en urgence pour des douleurs brutales des membres inférieurs. Elle est antillaise, et vient passer ses vacances en métropole.

Elle n'a pas d'antécédent en dehors d'une phlébite superficielle il y a 3 ans, et travaille comme infirmière en Guadeloupe. Elle a également une diarrhée chronique étiquetée troubles fonctionnels digestifs. Elle ne prend pas de traitement en dehors d'une contraception œstroprogestative et d'ibuprofène pris au coup par coup pour des arthralgies fluctuantes des poignets. Elle a récemment eu un syndrome grippal avec rhinorrhée et odynophagie.

À l'examen, vous trouvez une jeune femme en bon état général qui signale avoir quand même perdu 3 kg en deux mois. Elle présente des lésions papulonodulaires inflammatoires et douloureuses des membres inférieurs, prédominant sur les jambes de manière symétrique. Elle présente également quelques adénopathies inguinales. Les constantes relèvent une T° à 38 °C.

### Questions

**1.** Quel diagnostic posez-vous pour les lésions des jambes ?

**2.** Quels sont les diagnostics étiologiques possibles de cette entité ? Quelle est la cause la plus fréquente ? Quels sont les 3 causes non infectieuses qui vous paraissent plausibles chez elle ?

**3.** Quels examens paracliniques prescrivez-vous en 1re intention ?

**4.** Vous hospitalisez la patiente. Quelle est l'évolution la plus probable de cette poussée ?

**5.** Quel traitement instituez-vous en 1re intention ?

Lors de l'hospitalisation, vous remarquez des lésions papuleuses sur une cicatrice d'appendicectomie et sur un ancien tatouage du dos. Elle vous signale également avoir la bouche et les yeux très secs et développe depuis peu des arthralgies inflammatoires. L'IDR est négative. De plus, les examens retrouvent des adénopathies médiastinales.

**6.** À quoi correspondent probablement les lésions du dos et de l'abdomen ? Quel est le diagnostic le plus probable ?

L'évolution de cette poussée est favorable mais au cours de l'évolution de la maladie, vous allez devoir introduire une corticothérapie générale.

**7.** Quelles précautions devez-vous prendre ?

## Première lecture et réflexes

• Femme en âge de procréer : βHCG, notamment avant un examen aux rayons X sur l'abdomen.

• Patient antillais + arthralgies et/ou érythème noueux = sarcoïdose. Attention au lupus ± SAPL (thrombose).

• Dossier classique de sarcoïdose se présentant sous la forme d'un Löfgren.

• Corticoïdes + patient antillais = déparasitage par ivermectine obligatoire.

## Réponses

**1. Quel diagnostic posez-vous pour les lésions des jambes ? *(10)***

■ **Érythème noueux** ................................................................................................................................................................................ ***10***

**2. Quels sont les diagnostics étiologiques possibles de cette entité ? Quelle est la cause la plus fréquente ? Quels sont les 3 causes non infectieuses qui vous paraissent plausibles chez elle ? *(30)***

■ Diagnostics étiologiques :
– causes infectieuses :
  • primo-infection tuberculeuse ................................................................................................................................ ***2***
  • yersiniose ................................................................................................................................................................ ***2***
  • streptocoque ......................................................................................................................................................... ***3***
  • viroses (EBV, parvovirus) ..................................................................................................................................... ***2***
– causes systémiques :
  • sarcoïdose .............................................................................................................................................................. ***3***
  • Behcet .................................................................................................................................................................... ***3***
  • MICI ....................................................................................................................................................................... ***3***
– autres :
  • médicaments ......................................................................................................................................................... ***2***
  • idiopathique .......................................................................................................................................................... ***2***

■ Cause la plus fréquente : idiopathique ................................................................................................................. ***2***

■ Causes non infectieuses plausibles :
  • Behcet .................................................................................................................................................................... ***2***
  • sarcoïdose .............................................................................................................................................................. ***2***
  • MICI ....................................................................................................................................................................... ***2***

**3. Quels examens paracliniques prescrivez-vous en 1re intention ? *(15)***

■ Bilan biologique :
– NFS-plaquettes .................................................................................................................................................... ***NC***
– CRP ..................................................................................................................................................................... ***2***
– électrophorèse des protides sériques ................................................................................................................... ***NC***
– bilan hépatique .................................................................................................................................................... ***1***
– calcémie et calciurie ........................................................................................................................................... ***NC***
– ASLO, antistreptodornases ................................................................................................................................. ***2***
– béta HCG ............................................................................................................................................................. ***NC***

Les classiques aux ECN

- Bilan infectieux :
– IDR à la tuberculine .................................................................................................. *2*
– Streptatest ................................................................................................................... *2*
– coproculture ................................................................................................................ *1*
– BK crachats ................................................................................................................. *2*

- Bilan d'imagerie :
– radiographie du thorax .............................................................................................. *3*

## 4. Vous hospitalisez la patiente. Quelle est l'évolution la plus probable de cette poussée ? *(15)*

- Évolution **favorable** ................................................................................................ *5*
– spontanément ............................................................................................................. *5*
– sans lésion séquellaire ............................................................................................... *3*
– par les couleurs de la biligénie locale .................................................................... *2*

## 5. Quel traitement instituez-vous en 1ʳᵉ intention ? *(6)*

- Traitement **symptomatique** :
– antalgiques palier I ou II *per os* .............................................................................. *2*
– contention ................................................................................................................... *2*
– AINS si besoin ............................................................................................................. *NC*

- Repos avec jambes surélevées .................................................................................. *1*

- Surveillance ................................................................................................................. *1*

## 6. À quoi correspondent probablement les lésions du dos et de l'abdomen ? Quel est le diagnostic le plus probable ? *(10)*

- Diagnostics possibles :
– **sarcoïdes sur cicatrices** ...................................................................................... *5*
– granulomes à corps étranger .................................................................................... *NC*

- Poussée d'érythème noueux dans le cadre d'une sarcoïdose : **syndrome de Löfgren** ................. *5*

## 7. Quelles précautions devez-vous prendre ? *(14)*

- Traitements associés :
– prévention anguillulose : **déparasitage par ivermectine (Stromectol®) (PMZ)** ................. *2*
– supplémentation vitamino-calcique ......................................................................... *1*
– bisphosphonates si traitement de plus de 3 mois ................................................. *1*
– supplémentation potassique .................................................................................... *1*

- Recommandations :
– règles hygiénodiététiques ......................................................................................... *2*
– régime hyposodé, pauvre en glucides, à index glycémique élevé ...................... *2*
– éducation : pas d'arrêt brutal ................................................................................... *2*

- Surveillance :
– PA, poids ...................................................................................................................... *1*
– glycémie, kaliémie ...................................................................................................... *1*
– test au tétracosactide (Synacthène®) à l'arrêt ....................................................... *1*

# Conseils du conférencier

→ *Il s'agit d'un sujet facilement tombable.*

→ *Le Löfgren n'est pas une indication à la corticothérapie générale. Pour les indications à la corticothérapie générale : voir les recommandations du Collège des enseignants de pneumologie.*

## >>> Référence

www.respir.com, Collège des enseignants de pneumologie, 2008.

## >>> Item abordé dans ce dossier

**N° 124** – Sarcoïdose.

# Peau d'orange sanguine

## Énoncé

Vous êtes aux urgences pédiatriques et une maman vous amène son plus jeune fils de 4 ans qui présente des lésions purpuriques sur l'abdomen et les membres inférieurs. Il est asthénique et l'infirmière vous dit qu'il est fébrile.

Vous ne retrouvez pas d'antécédent notable sur son carnet de santé. Ses vaccins sont à jour. Sa courbe staturo-pondérale est normale. Sa mère vous informe que ces lésions sont apparues il y a 2 jours, associées à une fatigue et des vomissements.

Il va à l'école, et a récemment eu une gastroentérite qui a rapidement cédé avec les traitements symptomatiques. Son frère de 6 ans ne se plaint de rien, mais sa sœur de 8 ans a également présenté des symptômes digestifs qui ont cédé en 2 jours.

 **Questions**

**1.** Devant un purpura fébrile, que cherchez-vous à éliminer ?

**2.** Vous éliminez rapidement cette hypothèse. Comment orientez-vous votre démarche pour faire avancer le diagnostic ?

Vous retrouvez un purpura infiltré pétéchial de l'abdomen et des cuisses. L'enfant est subfébrile à 38 °C, en bon état général. Par contre, il semble avoir mal lorsque vous lui bougez les poignets. Le reste de l'examen est normal. Les examens complémentaires sont normaux.

**3.** Vers quel diagnostic vous orientez-vous ? Sur quels arguments ?

**4.** Ses parents vous demandent quelle va être l'évolution. Que leur répondez-vous ?

**5.** Quel traitement instituez-vous en 1<sup>re</sup> intention ?

Deux jours plus tard, vous êtes appelé dans sa chambre car il a vomi. Il se plaint de douleurs abdominales intenses et l'infirmière vous signale qu'il s'est plaint de la même chose cette nuit, mais que les douleurs ont spontanément régressé.

**6.** Que devez-vous évoquer ?

**7.** Quels examens sont à votre disposition pour confirmer le diagnostic ?

**8.** Quelles sont les options thérapeutiques qui s'offrent à vous ?

Les classiques aux ECN

## Première lecture et réflexes

- Pédiatrie : carnet de santé, vaccin, fratrie.

- Purpura : éliminer les causes thrombopéniques : NFS plaquettes sur tube citraté.

- Purpura fébrile : évoquer le purpura fulminans de principe, DO si méningocoque.

## Réponses

**1. Devant un purpura fébrile, que cherchez-vous à éliminer ?** *(10)*

- **Purpura fulminans septique** sur méningite bactérienne (à méningocoque en général) ...................................... **10**

**2. Vous éliminez rapidement cette hypothèse. Comment orientez-vous votre démarche pour faire avancer le diagnostic ?** *(20)*

- Interrogatoire : antécédents, prises médicamenteuses ........................................................................................ **2**
- Histoire de la maladie : épisodes similaires, notion d'hémorragie muqueuse ................................................ **3**
- Examen physique :
- examen de tout le tégument et des muqueuses .............................................................................................. **NC**
- **topographie** du purpura : déclive, localisé, diffus ...................................................................................... **3**
- **caractère du purpura :** pétéchial, ecchymotique, nécrotique ................................................................ **3**
- aires ganglionnaires, palpation hépatosplénique ............................................................................................ **1**
- signes de déglobulisation ...................................................................................................................................... **1**
- Examens complémentaires :
- NFS plaquettes .................................................................................................................................................... **3**
- **plaquettes sur tube citraté** ...................................................................................................................... **2**
- hémostase (TP, TCA, fibrinogène) .................................................................................................................... **2**

**3. Vers quel diagnostic vous orientez-vous ? Sur quels arguments ?** *(19)*

- **Purpura rhumatoïde :** .................................................................................................................................... **10**
- terrain : enfant jeune ............................................................................................................................................ **2**
- virose récente ...................................................................................................................................................... **2**
- clinique : purpura infiltré, décalage thermique, arthralgies, signes digestifs .................................................. **3**
- pas de thrombopénie .......................................................................................................................................... **2**

**4. Ses parents vous demandent quelle va être l'évolution. Que leur répondez-vous ?** *(10)*

- **Guérison le plus souvent spontanée**, sans complications, en 15 à 21 jours ...................................... **3**

- Poussées pendant plusieurs semaines possibles ................................................................................................ **2**

- Complications éventuelles :
- digestives : invagination intestinale aiguë, hématome intramural .................................................................. **2**
- rénales dans un quart des cas : hématurie, protéinurie, néphropathie sévère ............................................ **2**
- plus rares : orchite, convulsions ........................................................................................................................ **1**

**5. Quel traitement instituez-vous en 1<sup>re</sup> intention ?** *(10)*

■ Hospitalisation en pédiatrie ..................................................................................................................... *2*

■ **Mise au repos (PMZ)** ........................................................................................................................ *5*

■ Traitement symptomatique antalgique type paracétamol 15 mg/kg/6 h si besoin ........................................... *2*

■ Surveillance ............................................................................................................................................ *1*

**6. Que devez-vous évoquer ?** *(10)*

■ **Invagination intestinale aiguë** sur purpura rhumatoïde ...................................................................... *10*

**7. Quels examens sont à votre disposition pour confirmer le diagnostic ?** *(11)*

■ Échographie abdominale : image en cocarde ou en sandwich ...................................................................... *4*

■ Abdomen sans préparation : disparition de la clarté gazeuse du cæcum dans la fosse iliaque droite, opacité dans le côlon ......................................................................................................................................... *3*

■ Lavement baryté : permet d'affirmer l'invagination ................................................................................... *4*

***Remarque :*** *invagination intestinale aiguë : complication classique du PR chez l'enfant. Le lavement permet à la fois le diagnostic et le traitement.*

**8. Quelles sont les options thérapeutiques qui s'offrent à vous ?** *(10)*

■ **Lavement opaque** sous contrôle radiologique .................................................................................... *5*

■ Traitement **chirurgical** ..................................................................................................................... *5*

## Conseils du conférencier

➜ *Dossier sur la triade classique : purpura - purpura rhumatoïde - invagination intestinale aiguë.*

➜ *Devant tout purpura, rechercher les signes de gravité :*
   *– signes septiques ;*
   *– signes neurologiques ;*
   *– collapsus cardiovasculaire ;*
   *– extension rapide ;*
   *– atteinte muqueuse.*

➜ *Ici, on demande d'énumérer les moyens diagnostiques et thérapeutiques sans prendre position.*

### ⟫⟫ Item abordé dans ce dossier

**N° 330** – Purpura chez l'enfant et chez l'adulte.

# Dossier N° 47

## Se serrer les coudes

### Énoncé

Une jeune femme de 32 ans vient consulter pour des lésions érythématosquameuses en plaques des coudes et des genoux. Cette patiente d'origine turque n'a aucun antécédent. Elle n'a jamais été hospitalisée. Elle vit en couple, n'a pas d'enfant. Elle travaille comme secrétaire. Elle fume 10 cigarettes par jour depuis 5 ans et consomme deux verres de vin par jour.

Ces lésions ont commencé à apparaître en décembre dernier, alors qu'elle « avait attrapé un rhume ». Elles ont ensuite disparu, mais sont réapparues quelques semaines plus tard. Depuis, « elles vont et viennent ». Ces plaques la gênent, mais ne sont quasiment pas prurigineuses (*voir photo*).

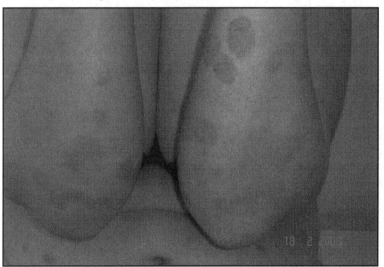

**Voir version en couleurs en fin d'ouvrage.**

### ? Questions

**1.** Décrivez les lésions.

**2.** Quel diagnostic évoquer ? Sur quels arguments ?

**3.** À l'examen physique, que recherchez-vous pour étayer votre diagnostic ?

**4.** Quel examen faites-vous pour confirmer votre diagnostic ?

**5.** Quel est votre traitement de 1re intention si les lésions sont limitées aux genoux et aux coudes ?

Vous continuez à la suivre régulièrement. Elle est bien soulagée par votre traitement.

Cependant, lors d'une consultation, elle signale l'apparition de lésions érythémateuses avec quelques squames grasses non prurigineuses des ailes du nez et du front. Elle n'a pas de lésions du cuir chevelu.

**6.** Quel est votre diagnostic et comment la traitez-vous ?

Quelques mois plus tard, Elle rechute, et cette fois-ci, le traitement que vous aviez prescrit n'est plus efficace. Vous décidez alors d'entreprendre une photothérapie.

> **7.** Quels types de photothérapie pouvez-vous lui proposer ?
>
> **8.** Quel bilan devez-vous prescrire avant le début des séances ?

# Première lecture et réflexes

- À la lecture de l'énoncé :
  – sevrage tabac ;
  – sevrage alcool.

- Traitement psoriasis :
  – éviction des facteurs déclenchants potentiels ;
  – prise en charge psychologique.

## Réponses

**1. Décrivez les lésions.** *(6)*

- Lésions **érythématosquameuses** ........................................................................................ *2*

- Lésions arrondies ........................................................................................................................ *2*

- En plaques bien limitées ........................................................................................................... *2*

- De l'avant-bras ........................................................................................................................... *NC*

**2. Quel diagnostic évoquer ? Sur quels arguments ?** *(17)*

- **Psoriasis vulgaire en plaques** des coudes et des genoux ................................. *10*

- Arguments cliniques :
- lésions érythématosquameuses bien limitées ................................................................. *2*
- pas de prurit .............................................................................................................................. *1*
- localisation caractéristique ................................................................................................... *2*
- facteur déclenchant : virose probable .............................................................................. *1*
- évolution fluctuante ................................................................................................................. *NC*

- Argument de fréquence ............................................................................................................ *NC*

- Terrain : sujet jeune ................................................................................................................... *1*

**3. À l'examen physique, que recherchez-vous pour étayer votre diagnostic ?** *(18)*

- Lésions cutanées :
- lésions en gouttes .................................................................................................................... *1*
- lésions des plis (psoriasis inversé) ...................................................................................... *2*
- surface atteinte ......................................................................................................................... *1*
- squames superficielles ............................................................................................................ *2*
- signes de la tâche de bougie et de la rosée sanglante ............................................... *2*

- Localisations :
- cuir chevelu ................................................................................................................................ *2*
- ongles ........................................................................................................................................... *2*
- langue ........................................................................................................................................... *1*

- PASI (*psoriasis area and severity index*) ........................................................................... *2*

- Atteinte articulaire associée .................................................................................................. *3*

**4. Quel examen faites-vous pour confirmer votre diagnostic ?** *(5)*

■ Aucun ....................................................................................................................................................... **5**

***Remarque :*** *si examen prescrit, 0 à la question.*

**5. Quel est votre traitement de 1re intention si les lésions sont limitées aux genoux et aux coudes ?** *(14)*

■ Traitement ambulatoire ................................................................................................................. **NC**

■ Traitement local :
– **corticothérapie locale** de forte classe en crème pendant 4 semaines avec décroissance progressive .......... **5**
– association vitamine D possible (calcipotriol) ...................................................................... **2**
– émollients, kératolytiques si lésions très kératosiques ...................................................... **2**

■ Mesures associées :
– **sevrage alcool et tabac (PMZ)** ......................................................................................... **3**
– contrôle des facteurs déclenchants : infection, médicaments ..................................... **1**
– soutien psychologique

■ Surveillance ...................................................................................................................................... **1**

**6. Quel est votre diagnostic et comment le traitez-vous ?** *(15)*

■ **Dermite séborrhéique** du visage ......................................................................................... **10**

■ Traitement ambulatoire

■ Traitement local :
– toilette visage doux
– antifongique local contenant un dérivé imidazolé (kétoconazole) pendant 3 semaines
  puis traitement d'entretien ..................................................................................................... **3**

■ Mesures associées : **arrêt de l'alcool** ..................................................................................... **2**

■ Surveillance

**7. Quels types de photothérapie pouvez-vous lui proposer ?** *(15)*

■ PUVA thérapie : ........................................................................................................................... **5**
– irradiation par UV de type A ...................................................................................................... **2**
– prise nécessaire d'un photosensibilisant (protection yeux et gonades) ...................... **3**

■ UVB thérapie (UVB TL01) : spectre plus étroit .......................................................... **5**

**8. Quel bilan devez-vous prescrire avant le début des séances ?** *(10)*

■ Examen clinique :
– recherche de toute lésion suspecte de néoplasie ............................................................ **3**
– phototype ......................................................................................................................................... **2**

■ Examen ophtalmologique ......................................................................................................... **2**

■ Fonction rénale et hépatique en cas de prise de psoralène .................................... **3**

■ Béta HCG ........................................................................................................................................ **NC**

# Conseils du conférencier

➜ *Psoriasis vulgaire :*
- *pas d'examen complémentaire de confirmation diagnostique si présentation typique ;*
- *traitement local en première intention ;*
- *rechercher un syndrome métabolique parfois associé.*

➜ *Facteurs déclenchants les plus fréquents :*
- *infections ;*
- *prises médicamenteuses (lithium, bétabloquant, iode, AINS, interféron, etc.) ;*
- *prise d'alcool ;*
- *phénomène de Koebner ;*
- *stress psychologique.*

## >>> Items abordés dans ce dossier

**N° 123** – Psoriasis.

**N° 232** – Dermatoses faciales. Acné, rosacée, dermatite séborrhéique.

Les classiques aux ECN

## Énoncé

Vous remplacez votre collègue et faites la visite au service des urgences. Vous voyez un patient de 35 ans, qui a été hospitalisé pour une thrombose veineuse profonde, après un voyage en avion, alors qu'il revenait des Philippines. Le diagnostic a été confirmé par échographie et un traitement par héparine a été institué depuis 72 h avec relai par AVK.

Aucune complication n'est à noter, vous envisagez de le faire sortir. Cependant, alors que vous lui donnez des instructions sur la surveillance des anticoagulants, il vous signale qu'il présente une lésion génitale et souhaite vous la montrer.

Vous constatez alors la présence d'une ulcération d'environ 2 cm de diamètre sur le fourreau de la verge, indolore et indurée (*voir photo*). La lésion est propre et l'examen du reste du tégument est normal. Vous palpez deux adéno-pathies indurées indolores inguinales.

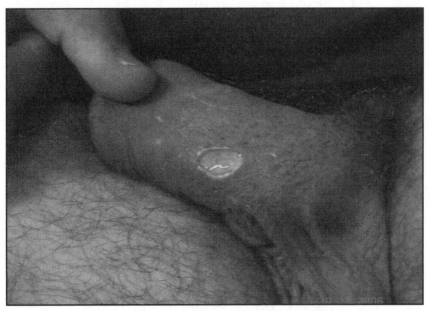

**Voir version en couleurs en fin d'ouvrage.**

## ❓ Questions

**1.** Quel diagnostic suspectez-vous ?

**2.** Quels examens prescrivez-vous ?

**3.** En effet, votre suspicion se confirme. Quel traitement prescrivez-vous ?

Vous traitez le patient et le revoyez une semaine plus tard. L'évolution est favorable. Cependant, il est venu avec sa compagne car celle-ci se plaint de prurit vulvaire et de leucorrhées.

**4.** Vous décidez de l'examiner. Quels sont les points importants de votre examen physique ?

Vous retrouvez une vulvovaginite non érosive avec des leucorrhées purulentes et abondantes, et un col inflammatoire et friable.

Vous réalisez un prélèvement des leucorrhées et le laboratoire vous appelle pour vous informer qu'ils ont observé la présence de nombreux coques Gram négatif en grains de café.

**5.** Quel est votre diagnostic ?

**6.** La patiente se demande si cette pathologie est grave. Quelles sont les complications aiguës potentielles de cette affection dont vous l'informez ?

**7.** Vous ne retrouvez pas d'argument pour des complications aiguës. Quel traitement instituez-vous ?

Finalement, elle ne reprend pas rendez-vous en consultation comme vous l'aviez demandé.

Vous la revoyez néanmoins 10 jours plus tard, car elle ne va pas bien. Elle est fébrile et vous montre des lésions pustuleuses des faces latérales des doigts et des paumes des mains. Son état général est altéré.

**8.** Que suspectez-vous ?

## Première lecture et réflexes

- Dossier IST : bilan IST, dépistage des partenaires, rapports sexuels protégés, éducation.

- Anticoagulants efficaces : contre-indication aux injections IM.

- Pour toute prescription d'ATB, donner une alternative en cas d'allergie.

# Réponses

**1. Quel diagnostic suspectez-vous ?** *(10)*

- **Chancre syphilitique** (syphilis primaire) ................................................................................ **10**

---

**2. Quels examens prescrivez-vous ?** *(15)*

- Diagnostic positif :
- examen au **microscope à fond noir** : recherche de tréponèmes ................................................ *5*
- **sérologies syphilis :** ........................................................................................................ *5*
  - TPHA positif
  - VDRL selon l'ancienneté
  - FTA positif
- **Bilan IST :** ................................................................................................................ *3*
- sérologie VIH 1 et 2 avec accord du patient (à refaire à 3 mois)
- sérologies hépatites B et C
- PCR chlamydiæ
- Bilan chez les partenaires à prescrire ...................................................................................... *2*

---

**3. En effet, votre suspicion se confirme. Quel traitement prescrivez-vous ?** *(14)*

- Traitement lors de l'hospitalisation ......................................................................................... *1*

- Traitement étiologique antibiotique :
- **pénicilline G par voie intraveineuse (0 si voie IM)** ............................................................... *5*
- cyclines (doxycycline) si allergie à la pénicilline ......................................................................... *3*
- Traitement des autres IST ..................................................................................................... *1*
- **Dépistage et traitement des partenaires** ......................................................................... *2*
- Surveillance clinique et sérologique ......................................................................................... *2*

---

**4. Vous décidez de l'examiner. Quels sont les points importants de votre examen physique ?** *(10)*

- Examen gynécologique :
- examen vulvaire : recherche d'une vulvite, d'érosions, aspect des leucorrhées ................................ *5*
- examen vaginal au spéculum ................................................................................................. *3*
- toucher vaginal (recherche d'épanchement, de douleur) ............................................................. *2*
- Examen cutané et de toutes les muqueuses ............................................................................. *NC*

---

**5. Quel est votre diagnostic ?** *(10)*

- **Cervicite aiguë à *Neisseria gonorrheæ*** ............................................................................. *10*

Les classiques aux ECN

**6. La patiente se demande si cette pathologie est grave. Quelles sont les complications aiguës potentielles de cette affection dont vous l'informez ?** *(11)*

■ Complications gynécologiques :
– salpingite aiguë ............................................................................................................... *5*

■ Complications générales :
– gonococcie disséminée ..................................................................................................... *5*

■ Complication d'une autre IST associée ................................................................................ *1*

---

**7. Vous ne retrouvez pas d'argument pour des complications aiguës. Quel traitement instituez-vous ?** *(18)*

■ Traitement ambulatoire ..................................................................................................... *1*

■ Traitement antibiotique actif sur le gonocoque et le chlamydiæ :
– **céphalosporine de 3e génération** (ceftriaxone) : 1 g IM ................................................... *5*
– **macrolides** (azithromycine) : 1 g PO .............................................................................. *2*
– si allergie aux bétalactamines, possibilité de remplacer par quinolones ................................ *1*

■ Dépistage et traitement des autres IST .............................................................................. *2*

■ Dépistage et traitement des partenaires ............................................................................. *2*

■ Rapports sexuels protégés ................................................................................................. *2*

■ Information et éducation .................................................................................................... *2*

■ Surveillance à J7 .............................................................................................................. *1*

---

**8. Que suspectez-vous ?** *(12)*

■ **Gonococcie disséminée** .................................................................................................. *10*

■ Non compliance au traitement ........................................................................................... *2*

## Conseils du conférencier

➜ *Première partie, syphilis :*
   *– l'incubation dure en moyenne 3 semaines. La description clinique est ici typique du chancre syphilitique. L'examen au microscope à fond noir n'est que rarement réalisé en pratique mais doit être mentionné ;*
   *– bien noter les contre-indications potentielles à la benzathine (Extencilline®).*

➜ *Deuxième partie, gonococcie :*
   *– la gonococcie non compliquée est traitée par une antibiothérapie minute ;*
   *– les formes disséminées sont rares mais graves et traitées par C3G IV pendant 10 jours. La surveillance à J7 est importante afin d'évaluer l'efficacité du traitement et de revoir le patient avec le bilan IST.*

### ⟫⟫ Items abordés dans ce dossier

**N° 95** – Maladies sexuellement transmissibles : gonococcies, chlamydiose, syphilis.

**N° 343** – Ulcérations ou érosions des muqueuses orales et/ou génitales.

# Mou du genou

## Énoncé

Un jeune patient de 34 ans s'est inscrit à votre consultation. Il a longtemps hésité avant de venir mais s'est décidé car ses troubles ont tendance à s'aggraver.

Il a comme principaux antécédents une rupture des ligaments du genou droit post-traumatique, une acné juvénile dans l'adolescence et un ulcère gastrique il y a 5 ans.

Il travaille à Paris comme commercial, mais retourne régulièrement à Montpellier d'où il est originaire. Il est marié, a une petite fille de 1 an.

Ses problèmes ont commencé il y a 10 mois, peu après la naissance de sa fille. Il a commencé à développer des lésions en plaques érythématosquameuses, prurigineuses par moments des coudes et des genoux. Ces lésions sont devenues plus handicapantes cet hiver, atteignant les faces d'extension des membres.

Parallèlement, il se plaint de douleurs des talons, ce qui le gêne car il pratique le tennis régulièrement. Il a également dû consulter son médecin traitant en urgence il y a 2 mois car son genou gauche était devenu gonflé, rouge et douloureux. Un traitement anti-inflammatoire a permis de résoudre cet épisode.

## Questions

**1.** Quelles sont les diagnostics possibles que le médecin traitant a pu évoquer d'après l'aspect du genou du patient il y a 2 mois ?

**2.** Quelle était la cause probable de cet épisode ? Dans quel contexte s'inscrit-il ?

**3.** Sur quels arguments ?

**4.** Quelles sont les autres localisations dermatologiques de cette pathologie que vous allez rechercher à l'examen physique ?

**5.** Prescrivez-vous des examens complémentaires pour affirmer votre diagnostic ? Si oui, lesquels ?

Dans un premier temps, vous décidez d'entreprendre un traitement anti-inflammatoire avec une photothérapie.

**6.** Quel bilan allez-vous faire avant la photothérapie ?

**7.** Quels vont être les éléments de votre surveillance ?

Lors de vos explorations, vous avez également réalisé certains dosages. Le compte rendu vous donne :
– triglycérides = 2 g/L ;
– HDL cholestérol = 0,25 g/L ;
– LDL cholestérol = 1,9 g/L.
Il pèse 92 kg pour 1 m 72.

**8.** Que suspectez-vous et sur quels arguments ? Quels sont les autres éléments à rechercher ?

## Première lecture et réflexes

- Question sur la surveillance : distinguer efficacité et tolérance (voire clinique et paraclinique, quand cela est nécessaire).

- Sensibilité aux AINS = spondylarthrite.

## Réponses

**1. Quelles sont les diagnostics possibles que le médecin traitant a pu évoquer d'après l'aspect du genou du patient il y a 2 mois ?** *(10)*

- Devant une **arthrite aiguë** du genou :
- arthrite **septique** ................................................................................................................................. *3*
- arthrite **microcristalline** .................................................................................................................. *3*
- arthrite **inflammatoire** .................................................................................................................... *3*
  - du genou gauche ........................................................................................................................... *1*

**2. Quelle était la cause probable de cet épisode ? Dans quel contexte s'inscrit-il ?** *(8)*

- **Arthrite aiguë inflammatoire** du genou gauche ......................................................................... *3*

- Dans un contexte de **rhumatisme psoriasique** ....................................................................... *5*

**3. Sur quels arguments ?** *(13)*

- Arthrite inflammatoire :
- signes inflammatoires locaux ......................................................................................................... *1*
- résolution avec les AINS ................................................................................................................ *3*
- maladie inflammatoire sous-jacente probable .......................................................................... *1*

- Rhumatisme psoriasique :
- psoriasis en plaques ....................................................................................................................... *3*
- atteinte articulaire périphérique : talalgies, mono-arthrite inaugurale ................................. *5*
- terrain .............................................................................................................................................. *NC*

- Argument de fréquence .................................................................................................................. *NC*

**4. Quelles sont les autres localisations dermatologiques de cette pathologie que vous allez rechercher à l'examen physique ?** *(12)*

- Cuir chevelu : plaques squameuses .............................................................................................. *3*

- Ongles : lésions punctiformes en dé à coudre, taches saumonées ........................................ *3*

- Plis (psoriasis inversé) ..................................................................................................................... *2*

- Région lombosacrée et ombilic ..................................................................................................... *2*

- Langue : plicaturée ou géographique .......................................................................................... *2*

Les classiques aux ECN

## 5. Prescrivez-vous des examens complémentaires pour affirmer votre diagnostic ? Si oui, lesquels ? *(12)*

■ Oui ....................................................................................................................................... 3

■ Examens complémentaires devant un rhumatisme périphérique :
– diagnostic positif :
  • **radiographies standard** mains, pieds, genoux (lésions de destruction et de reconstruction) et radio lombaire, bassin (sacro-iliite, syndesmophytes) ...................................................................... 5
  • **bilan inflammatoire :** NFS plaquettes, fibrinogène ................................................ 2
– diagnostic différentiel :
  • facteur rhumatoïde et anti-CCP ................................................................................ 2
  • en deuxième intention : typage HLA B27 ......................................................... *NC*

## 6. Quel bilan allez-vous faire avant la photothérapie ? *(14)*

■ Examen clinique :
– interrogatoire : antécédents de tumeur cutanée, troubles oculaires ....................... 2
– examen cutané à la **recherche de tumeur cutanée** ......................................... 3
– phototype du patient ................................................................................................ 2

■ Examens complémentaires :
– **examen ophtalmologique** ................................................................................ 2
– bilan hépatique ...................................................................................................... 3
– créatininémie .......................................................................................................... 2

## 7. Quels vont être les éléments de votre surveillance ? *(11)*

■ Surveillance de l'efficacité :
– examen cutané : étendue de l'atteinte (surface en %) ............................................. 2
– PASI (*Psoriasis Area and Severity Index*) et DLQI (*Dermatology Life Quality Index*) ......... 2
– examen articulaire : douleurs, amplitudes articulaires, dérouillage matinal, nombre articulations ......... 2
– radiographies ......................................................................................................... 2

■ Tolérance :
– douleurs gastriques .................................................................................................. 1
– bilans hépatique et rénal .......................................................................................... 2

## 8. Que suspectez-vous et sur quels arguments ? Quels sont les autres éléments à rechercher ? *(20)*

■ **Syndrome métabolique** ................................................................................. 5

■ Arguments :
– anomalies du bilan lipidique .................................................................................... 3
– IMC à 31 kg/m² = obésité modérée ....................................................................... 3
– association fréquente au psoriasis et notamment au rhumatisme psoriasique ......... 3

■ Éléments à rechercher :
– HTA ........................................................................................................................ 2
– intolérance au glucose ............................................................................................ 2
– mesure du périmètre abdominal .............................................................................. 2

## Conseils du conférencier

→ *Il n'est pas nécessaire de réaliser de biopsie cutanée devant un psoriasis typique. Ici, les examens complémentaires explorent l'atteinte rhumatologique.*

→ *Le PASI et le DLQI sont des échelles utilisées en pratique quotidienne pour évaluer l'atteinte cutanée et le retentissement.*

→ *Le syndrome métabolique est classiquement plus fréquent chez les patients psoriasiques. Les éléments cliniques du syndrome métabolique doivent être systématiquement recherchés devant un psoriasis.*

### >>> Items abordés dans ce dossier

**N° 123** – Psoriasis.

**N° 129** – Facteurs de risque cardiovasculaire et prévention.

**N° 307** – Douleur et épanchement articulaire. Arthrite d'évolution récente.

Les classiques aux ECN

# Romulus et Rémus

## Énoncé

Une patiente de 32 ans consulte pour une éruption du visage et du haut du tronc. Il s'agit d'une éruption érythémateuse maculopapuleuse, œdémateuse par endroits et à bordure émiettée médiofaciale et du décolleté. L'éruption n'est pas prurigineuse.

Elle est également très gênée au soleil. Elle a comme principaux antécédents un décollement de rétine post-traumatique, une phlébite du membre inférieur après un voyage en avion, un syndrome sec oculaire et un asthme léger. Elle ne prend aucun traitement et vous informe qu'elle est enceinte de 12 SA. Sa première échographie s'est bien déroulée.

Vous trouvez une patiente en bon état général, pesant 59 kg pour 1 m 65.

## ? Questions

**1.** Quel diagnostic suspectez-vous en ce qui concerne l'éruption cutanée ?

**2.** Votre diagnostic se confirme. L'atteinte est limitée à la peau. Quel traitement pouvez-vous lui proposer ?

Le traitement est efficace. Elle suit bien vos conseils. Quatre semaines plus tard, on vous appelle aux urgences car la patiente a consulté pour une hémorragie génitale brutale avec des douleurs abdominales.

**3.** Quelles sont les causes possibles de ces saignements ?

**4.** La patiente fait finalement une fausse couche. Quelle est la cause de cet avortement spontané que vous suspectez dans ce contexte ? Sur quels arguments ?

**5.** Quelles explorations allez-vous demander pour étayer ce diagnostic ?

**6.** Votre diagnostic se confirme. Quelles sont les manifestations cutanées de cette pathologie que vous auriez pu retrouver ?

**7.** Allez-vous introduire un traitement spécifique en plus du traitement de la question 2 ? Si oui, lequel ?

**8.** Elle revient vous voir 6 mois plus tard car elle est de nouveau enceinte, de 6 SA. Comment adaptez-vous votre traitement ?

La grossesse se termine bien. La patiente est rentrée à son domicile et a repris son traitement initial de la question 7.

Trois mois plus tard, vous la revoyez en consultation. Elle est très fatiguée. Elle n'a pas eu le temps de faire les examens complémentaires habituels. Vous la trouvez effectivement asthénique, et très pâle. Elle s'essouffle au moindre effort. Elle signale des gingivorragies au brossage des dents et a consulté récemment pour une cruralgie droite. Vous déclenchez une douleur brutale à la flexion de la cuisse droite.

**9.** Que suspectez-vous ?

**10.** Quels examens vous permettent de confirmer le diagnostic ?

**Les classiques aux ECN**

## Première lecture et réflexes

- Lupus :
  - photoprotection ;
  - bilan rénal ;
  - contraception après l'accouchement.

- Lupus + thrombose dans un dossier = rechercher des critères pour un SAPL secondaire *a fortiori* si thrombose.

- AVK :
  - éducation ;
  - contre-indication pendant la grossesse.

## Réponses

**1. Quel diagnostic suspectez-vous en ce qui concerne l'éruption cutanée ?** *(10)*

■ Érythème en **vespertilio** : ..................................................................................................................... 5
– dans le cadre d'un **lupus érythémateux systémique** ......................................................................... 5

**2. Votre diagnostic se confirme. L'atteinte est limitée à la peau. Quel traitement pouvez-vous lui proposer ?** *(12)*

■ Traitement ambulatoire ......................................................................................................................... *NC*

■ **Photoprotection** ................................................................................................................................. *3*

■ Traitement systémique par **hydroxychloroquine** après examen ophtalmologique (acuité visuelle, champ visuel, vision des couleurs) ............................................................................................................... *5*

■ Traitement local par dermocorticoïdes ................................................................................................. *2*

■ Surveillance : ......................................................................................................................................... *2*
– maternelle
– fœtale

**3. Quelles sont les causes possibles de ces saignements ?** *(10)*

■ Fausse couche tardive ........................................................................................................................... *3*

■ Hématome rétroplacentaire .................................................................................................................. *3*

■ Placenta prævia ..................................................................................................................................... *3*

■ Hématome décidual marginal ............................................................................................................... *1*

**4. La patiente fait finalement une fausse couche. Quelle est la cause de cet avortement spontané que vous suspectez dans ce contexte ? Sur quels arguments ?** *(15)*

■ Fausse couche tardive sur thrombose placentaire ................................................................................ *5*
– sur **syndrome des antiphospholipides associé à un lupus** ou secondaire ....................................... *5*

■ Arguments :
– épisode thrombotique veineux ............................................................................................................. *2*
– manifestation obstétricale : mort fœtale après 10 SA ........................................................................... *2*
– terrain : femme entre 30 et 40 ans ....................................................................................................... *1*

**5. Quelles explorations allez-vous demander pour étayer ce diagnostic ?** *(10)*

■ Biologie :
– **anticoagulant circulant de type lupique** ou antiprothrombinase (allongement du TCA non corrigé) .... *3*
– anticorps anticardiolipine (dissociation de la sérologie syphilitique et ELISA) .................................. *3*
– anticorps **antibéta-2 GPI** .......................................................................................................... *2*
– confirmé à 6 semaines d'intervalle ................................................................................................ *NC*

■ Analyse du placenta à la recherche de thrombose ........................................................................ *2*

**6. Votre diagnostic se confirme. Quelles sont les manifestations cutanées de cette pathologie que vous auriez pu retrouver ?** *(9)*

■ Livédo à mailles ouvertes, suspendu ............................................................................................ *3*

■ Ulcères cutanés de type artériel .................................................................................................... *3*

■ Nécroses distales .......................................................................................................................... *3*

**7. Allez-vous introduire un traitement spécifique en plus du traitement de la question 2 ? Si oui, lequel ?** *(6)*

■ Oui ................................................................................................................................................ *1*

■ Traitement :
– **anticoagulation efficace par AVK au long cours** .......................................................................... *3*
– avec objectif d'INR entre 2,5 et 3 ................................................................................................ *2*
– avec contraception par progestatifs seuls .................................................................................... *NC*
– prise en charge des facteurs de risque cardiovasculaires .............................................................. *NC*

**8. Elle revient vous voir 6 mois plus tard car elle est de nouveau enceinte, de 6 SA. Comment adaptez-vous votre traitement ?** *(17)*

■ Prise en charge multidisciplinaire ................................................................................................ *NC*

■ **Arrêt des AVK (PMZ)** .................................................................................................................. *3*

■ Association **aspirine à doses antiagrégantes** ................................................................................ *5*
– et **anticoagulation par HBPM** à doses préventives .................................................................... *5*

■ Arrêt de l'aspirine à 34 SA .......................................................................................................... *1*

■ Reprise des AVK après la naissance .............................................................................................. *1*

■ Poursuite de l'hydroxychloroquine ................................................................................................ *1*

■ Surveillance maternelle et fœtale rapprochée .............................................................................. *1*

**9. Que suspectez-vous ?** *(5)*

■ **Hématome du psoas droit sur accident des AVK** ........................................................................ *5*

**10. Quels examens vous permettent de confirmer le diagnostic ?** *(6)*

■ **En urgence (PMZ) :** ...................................................................................................................... *1*
– NFS plaquettes : recherche anémie .............................................................................................. *2*
– INR : recherche surdosage en AVK ................................................................................................ *2*
– échographie ou TDM du psoas : recherche d'hématome .............................................................. *1*

# Conseils du conférencier

→ *Dossier transversal : lupus-SAPL, grossesse, AVK.*

→ *Distinguer les SAPL primaires et secondaires, notamment face à un lupus.*

→ *Dans les dossiers, les associations classiques sont :*
   – *lupus-grossesse et BAV chez le nourrisson ;*
   – *lupus-SAPL et grossesse et adaptation des anticoagulants.*

→ *Traitement du SAPL :*
   – *traitement des thromboses : héparine (HNF et non pas HBPM) ;*
   – *prévention secondaire : AVK au long cours.*

## >>> Référence

*Les anticorps antiphospholipides dans le SAPL.* Association des enseignants d'immunologie, 2010.

## >>> Items abordés dans ce dossier

**N° 117** – Lupus érythémateux disséminé. Syndrome des antiphospholipides.

**N° 182** – Accidents des anticoagulants.

**N° 243** – Hémorragie génitale chez la femme.

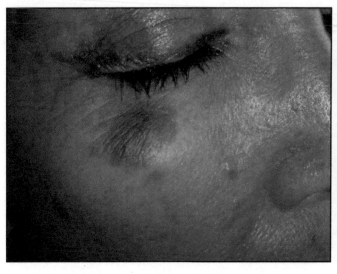

**Dossier n° 4**

**Dossier n° 5**

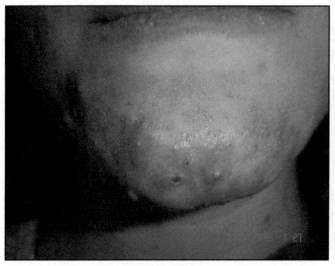

**Dossier n° 6**

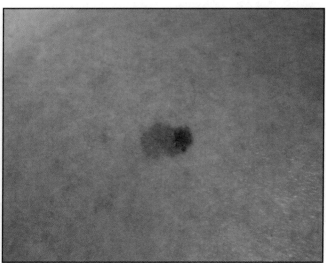

**Dossier n° 7**

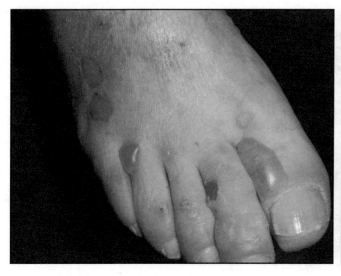

**Dossier n° 10**

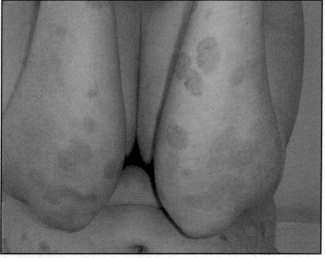

**Dossier n° 11**

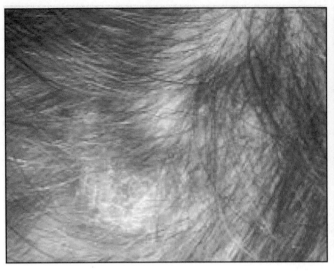

**Dossier n° 28**

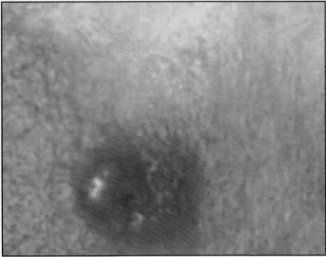

**Dossier n° 31**

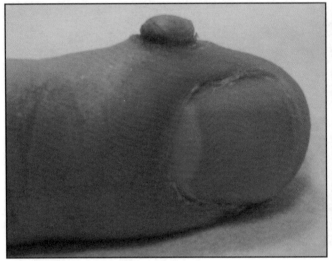

**Dossier n° 34**

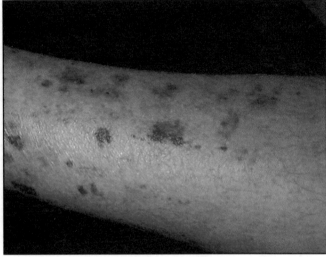

**Dossier n° 36**

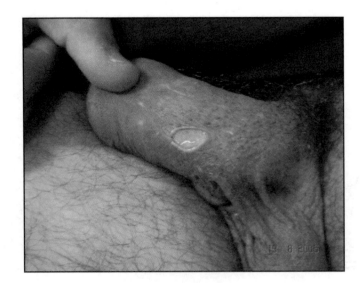

**Dossier n° 48**

# Vos outils pour réussir les ECN !

Vous préparez les ECN ? Nous vous présentons dans ces pages une sélection d'ouvrages conçus dans cet objectif.

Complets mais sans blabla inutile, strictement conformes au programme des études, ils seront des atouts pour optimiser votre travail et vous aider à réviser efficacement.

## Dossiers, annales • D3−D4

### Collection *50 dossiers* (20 titres disponibles)
### 50 000 étudiants leur ont déja fait confiance !

La collection *50 dossiers*, dirigée par Baptiste Coustet, s'est imposée depuis maintenant plusieurs années comme base de dossiers de référence aux nombreux candidats des épreuves classantes nationales. En conformité avec les exigences officielles, elle couvre l'ensemble du programme de chaque spécialité.

19,90 € L'EXEMPLAIRE

COLLECTION DIRIGÉE PAR BAPTISTE COUSTET

### Épreuves classantes nationales
### Annales corrigées 2011

Cet ouvrage vous propose les annales corrigées des ECN 2011, incluant les traditionnels cas cliniques et l'épreuve de lecture critique d'article.

Année 2010 également disponible

ÉD.2011 | 104 P. | 15,00 €
BAPTISTE COUSTET

### La compil des ECN
### Annales 2004-2009 corrigées et commentées

Cet ouvrage vous propose non seulement toutes les annales corrigées et commentées des ECN sur 6 années mais aussi des conseils pratiques et méthodologiques pour préparer le concours, de D3 au jour j.

2ᵉ ÉD. 2010 | 480 P. | 21,90 €
AUDREY FEL | MATTHIEU LAGADEC

## Guide pratique de l'ECG

Cet ouvrage est à la fois un guide pratique et simple pour apprendre à lire, interpréter et réaliser des électrocardiogrammes, et un outil d'entraînement efficace avec des ECG à analyser.

2ᵉ ÉD. 2009 | 256 P. | 19,90 €
JEAN SENDE

## L'intégrale des ECN
### en fiches mémo

Cet ouvrage, destiné aux étudiants du DCEM, rassemble, en les classant par spécialités, tous les items du programme sous forme de fiches mémo pour une révision efficace en vue des ECN.

2ᵉ ÉD. 2011 | 984 P. | 32,00 €
ABDALLAH FAYSSOIL

## Réflexes et mots-clés pour les ECN
### L'essentiel pour répondre aux cas cliniques

Pour être performant lors des ECN, la résolution des cas cliniques implique pour l'étudiant d'avoir parfaitement intégré un certain nombre de réflexes et mots-clés. Cet ouvrage a été conçu pour l'aider à assimiler ces informations essentielles.

ÉD. 2010 | 872 P. | 29,50 €
SOUS LA COORDINATION D'ABDALLAH FAYSSOIL

## Pharmaco aux ECN

Cet ouvrage présente de manière synthétique tout ce que doit maîtriser l'étudiant en pharmacologie pour les ECN : les classes thérapeutiques et pour chaque pathologie au programme, le traitement et la posologie.

ÉD. 2010 | 184 P. | 14,50 €
ABDALLAH FAYSSOIL

## Médi-mémo XL
### Mots, astuces et expressions mnémotechniques
### pour la pratique et les études médicales

Les astuces mnémotechniques présentées dans cet ouvrage vous permettront d'assimiler efficacement et durablement la somme considérable d'informations requises pour la pratique médicale.

6ᵉ ÉD. 2009 | 572 P. | 19,90 €
GUILLAUME ZAGURY

## Cas cliniques en immunologie

Une manière originale et motivante d'apprendre l'immunologie : l'étude de cas cliniques.

ÉD. 2010 | 352 P. | 49,00 €

RALF S. GEHA | FRED S. ROSEN | PIERRE L. MASSON

## Hématologie et transfusion

Un ouvrage de la collection COLLMED, collection des auteurs de référence du DCEM qui propose des ouvrages de cours classés par spécialités, avec toutes les données nécessaires et suffisantes à la préparation du concours des ECN.

7ᵉ ÉD. 2011 | 224 P. | 30,00 €

FRANÇOIS LEFRÈRE

## Pneumologie

À travers ses éditions successives, cet ouvrage reste la référence en pneumologie pour préparer les ECN.

7ᵉ ÉD. 2011 | 312 P. | 34,00 €

SERGIO SALMERON

## Imagerie médicale pratique
### Guide méthodologique pour l'externat

Cet ouvrage est l'outil indispensable pour comprendre et mémoriser toutes les notions incontournables de sémiologie radiologique dans chaque spécialité, sur la base d'imageries normales et pathologiques.

ÉD. 2011 | 528 P. | 35,00 €

CONSTANCE DE MARGERIE-MELLON

## Sémiologie médicale
### Apprentissage pratique de l'examen clinique

Cet ouvrage est l'outil indispensable pour comprendre et mémoriser toutes les notions incontournables de sémiologie médicale au fur et à mesure que vous progressez dans vos études.

3ᵉ ÉD. 2011 | 528 P. | 28,50 €

BAPTISTE COUSTET